© (2008) Viacom International Inc. Toute reproduction interdite.
Nickelodeon, Avatar, le dernier maître de l'air, ainsi que les logos,
les personnages et les autres titres qui s'y rapportent sont
des marques de commerce de Viacom International Inc.

Paru sous le titre original de : *Avatar, the Tale of Aang*

Publié par PRESSES AVENTURE, une division
de LES PUBLICATIONS MODUS VIVENDI INC.
55, rue Jean-Talon Ouest, 2ᵉ étage
Montréal, Québec, H2R 2W8

Dépôt légal - Bibliothèque et Archives nationales du Québec, 2008
Dépôt légal - Bibliothèque et Archives Canada, 2008

ISBN 13 : 978-2-89543-810-6

Traduit de l'anglais par : Jean-Robert Saucyer
Révisé par : Andrée Laprise

Nous reconnaissons l'aide financière du gouvernement du Canada
par l'entremise du Programme d'aide au développement
de l'industrie de l'édition (PADIÉ) pour nos activités d'édition.

Gouvernement du Québec — Programme de crédit d'impôt
pour l'édition de livres — Gestion SODEC

Imprimé en Chine

AVATAR
LE DERNIER MAÎTRE DE L'AIR

LES CHRONIQUES
DU ROYAUME DE LA TERRE

La Légende de
AANG

par Michael Teitelbaum
basé sur l'épisode de la
série Avatar: *The Last Airbender*
illustré par Patrick Spaziante

Chapitre 1

Je m'appelle Aang. Je suis l'Avatar. Je suis aussi un maître de l'air. Mon amie Katara m'a enseigné les techniques de maîtrise de l'eau. Elle—même est devenue une formidable maîtresse de l'eau.

Katara et son frère Sokka sont mes compagnons de voyage. Ils m'aident à parfaire mon apprentissage en lien avec la maîtrise des quatre éléments que sont l'air, l'eau, la terre et le feu, afin que je puisse l'emporter sur Ozai le seigneur du Feu et faire régner la paix entre les quatre nations.

Je dois en outre apprendre à maîtriser la terre. Aussi, Katara, Sokka, mon lémur Momo et moi—même chevauchons Appa, mon bison volant, qui nous conduit à la ville d'Omashu dans le Royaume de la Terre où nous allons rejoindre mon vieil ami, le roi Bumi. Il me tarde qu'il m'apprenne à maîtriser les forces de la terre !

Nous avons d'aburd fait une halte au campement du général Fong. Il était censé nous confier à la garde d'une escorte qui nous conduirait à Omashu en toute sécurité, mais les choses se sont passées autrement. Le général Fong a eu cette idée folle de vouloir me contraindre à passer à l'état de l'Avatar, afin que je puisse prendre part aux combats contre la Nation du Feu. Il prétendait que, pendant même que j'apprenais à maîtriser les éléments, la guerre faisait rage. En réfléchissant à la question, je me suis dit qu'il avait raison, que je parviendrais peut-être à mettre fin à la guerre s'il s'employait à m'aider. Qu'est-ce que j'ai eu tort ! Katara m'a aidé à comprendre combien il était dangereux d'être en état d'Avatar, en particulier lorsque je suis incapable de le maîtriser. Elle-même a peur de moi lorsque je me trouve dans cet état, c'est tout dire.

6

J'ai donc répondu au général Fong que je ne m'imposerais pas l'état de l'Avatar. Il a alors piqué une crise. Il a commandé à ses soldats de m'attaquer afin de m'obliger à agir contre mon gré. Et lorsque cette idée a échoué, il s'en est pris à Katara. Il a commandé à la terre de la faire ployer jusqu'à ce qu'elle s'enfonce dans le sol. Ma colère et mon mécontentement devant le traitement réservé à Katara ont été tels que le général a eu gain de cause. Je suis passé à l'état de l'Avatar, bien qu'il m'ait fallu un peu de temps pour y parvenir. Dès lors, mon prédécesseur, l'Avatar Roku, s'est manifesté. Il m'a confié que cet état est un mécanisme de défense qui me confère les dons et les connais—sances de tous les Avatars qui m'ont précédé. Lorsque je me trouve dans cet état, tous les esprits des Avatars précédents sont en moi. Voilà pourquoi je suis si puissant. Mais ils sont tous exposés au danger qui me guette. Si je mourais alors que je me trouve dans cet état, alors ils périraient tous avec moi. Le cycle des réincarnations serait interrompu et l'Avatar cesserait d'exister.

Lorsque je suis sorti de l'état de l'Avatar, Katara se portait bien. J'ai alors appris que Fong ne s'était servi d'elle que pour m'obliger à changer d'état. Après que, grâce à Sokka, nous eûmes réussi à nous éloigner de lui, nous sommes revenus derrière lui à pas furtifs et lui avons asséné un coup de bâton sur la tête.

Par la suite, nous sommes remontés sur Appa, mon bison volant. Nous nous dirigeons vers Omashu sans escorte.

Je m'efforce de ne pas songer aux paroles de Roku à propos de ce qui surviendrait si je mourais alors que je me trouve dans l'état de l'Avatar. Je concentre plutôt mes pensées sur Omashu et sur mon vieil ami Bumi !

Chapitre 2

Après avoir volé pendant plusieurs kilomètres, Appa s'est posé afin que nous puissions nous reposer un peu. Katara faisait la démonstration d'un nouveau mouvement appelé la pieuvre que lui avaient appris les maîtres de l'eau. Tout allait bien jusqu'au moment où elle passa les bras autour de moi afin de corriger ma forme, que j'en oublie ce que je faisais et que je me noie dans ses prunelles. Je n'y peux rien, elle a de si beaux yeux ! Quoi qu'il en soit, c'est alors qu'un groupe de chanteurs et de danseurs est sorti de la forêt environnante. Ils ont dit être nomades. Nous avons décidé de faire route avec eux jusqu'à Omashu en empruntant les tunnels et les cavernes secrets dont l'un d'eux, Chong, nous a parlé. Les tunnels faisaient un raccourci sous la montagne et conduisaient directement à Omashu.

Au moment où nous sommes entrés dans les cavernes, Chong nous raconta la légende des deux amoureux. Il nous a en outre avoué qu'une malédiction pesait sur ces grottes.

«Seuls ceux qui sont confiants en l'amour peuvent sortir de ces cavernes; les autres y restent enfermés à jamais.»

Hum. Ainsi, il suffit d'avoir confiance en l'amour? Quelque chose me dit que cela est plus difficile qu'il ne semble…

Dès que nous avons pénétré dans une caverne, une chute de pierres en a obstrué l'entrée. Nous avons avancé pendant des heures dans les tunnels. Puis un chien–chauve–souris nous a attaqués. J'ai dirigé vers lui un souffle d'air si puissant que Sokka a laissé échapper le flam–beau qu'il tenait à la main, lequel est tombé sur Appa qui s'est mis à ruer comme un cheval sauvage. Jamais je ne l'avais vu aussi furieux. Katara a éteint le feu, alors qu'Appa ruait sur les parois de la caverne et que des pierres tombaient de la voûte. J'ai réussi à faire bouger Sokka et les nomades juste à temps, mais alors le reste de la voûte s'est effondré. J'ai dû vite saisir Katara et l'emmener avec moi en volant à l'autre extrémité de la caverne. Après l'effondrement, je me suis trouvé au sol à côté de Katara, un bras autour de sa taille.

Quelles sont les chances pour que pareille chose se produise? Comme j'aimerais rester allongé auprès d'elle jusqu'à la fin des temps!

Je dois me relever et m'assurer que personne n'est blessé. Il semble qu'Appa n'a pas de mal, que Katara est indemne, mais nous nous trouvons devant un mur de pierres. Oh non! Les pierres écroulées nous séparent de Sokka et des nomades. Ils vont devoir trouver leur chemin vers la sortie et moi je dois faire en sorte qu'Appa, Katara et moi sortions d'ici au plus vite.

Nous avancions dans les tunnels obscurs depuis des heures lorsque nous sommes parvenus à une énorme porte en pierre. Nous l'avons poussée mais, au lieu de trouver une sortie, nous sommes entrés dans un tombeau. Dans deux tombeaux, pour être précis.

Katara a remarqué que les images peintes sur les parois des tombeaux représentaient l'histoire des deux amoureux. Chacun était originaire d'un village en guerre contre l'autre, lesquels se trouvaient sur chacun des versants de la montagne. En raison de la guerre, les amoureux devaient se voir en secret. Ils ont appris les techniques de maîtrise de la terre des taupes–blaireaux; c'est ainsi qu'ils ont aménagé ces tunnels sous la montagne pour pouvoir se rencontrer. Puis, l'homme fut tué dans un combat. Plutôt que détruire les deux villages en faisant appel à sa maîtrise de la terre, la femme les a contraints à mettre un terme à la guerre et à construire ensemble une nouvelle cité. Elle s'appelait Oma et l'homme Shu. C'est ainsi que la ville fut nommée Omashu en l'honneur de leur amour.

«Il est écrit : "L'amour se manifeste en toute clarté dans le noir"», lut Katara.

La flamme de sa torche commençait à faiblir. Bientôt, nous serions plongés dans l'obscurité la plus totale. Pour la première fois depuis notre entrée dans les cavernes, je sentais monter en moi une inquiétude. Mais je ne souhaitais pas que Katara s'aperçoive de mon angoisse. Il me suffisait de conserver mon calme et tout se passerait bien.

«J'ai une idée folle», annonça soudain Katara.

«De quoi s'agit-il? Il vaut mieux qu'elle soit géniale, car cet endroit me donne la chair de poule.»

«Oublie ce que je viens de dire» répondit-elle en se détournant.

Il fait plutôt sombre dans ces grottes, mais ai-je vu Katara rougir? On dirait bien que oui.

«Ce serait trop fou.»

«Katara, de quoi s'agit-il? L'un de nous ferait mieux d'avoir une idée incessamment...»

«Selon la malédiction, nous serons prisonniers en ce lieu pour l'éternité, à moins d'être confiants en l'amour. Au-dessus de la représentation des amoureux qui s'embrassent il est écrit: "L'amour se manifeste en toute clarté dans le noir." Que se passerait-il, selon toi, si nous nous embrassions?»

Euh... Ai-je bien entendu? Katara et moi, nous embrasser? Katara souhaite m'embrasser? Depuis le jour où je l'ai rencontrée j'en rêve. A-t-elle vraiment prononcé ces paroles?

«Nous deux, s'embrasser?» Je voulais m'assurer d'avoir bien entendu.

«Je savais qu'il s'agissait d'une idée folle», reprit-elle promptement.

Aujourd'hui sera le plus beau jour de ma vie! J'ai peine à bouger, à respirer ou à sourire, mais jamais je n'ai été aussi exalté. Je crains de perdre connaissance…

«Nous deux. Nous embrasser.» Cesse de te le répéter et réponds-lui oui avant qu'elle change d'idée.

«Nous deux. Nous embrasser, a répété Katara en s'esclaffant de rire. Où avais-je la tête? Tu t'imagines un peu?»

Trop tard. J'ai raté mon coup. Tout hébété que je suis, j'ai laissé filer le moment et voilà qu'elle retire son idée folle… comme si elle espérait ne jamais l'avoir formulée. À présent, je dois faire comme elle. Je ne peux plus lui faire savoir que c'est la plus brillante idée qu'elle ait eue de sa vie. Je n'ai qu'à sourire et à faire semblant d'être d'accord avec elle.

«Pour rien au monde je ne voudrais t'embrasser!» Oh non! Si seulement je pouvais retirer ces paroles. Qu'est-ce qui m'est passé par la tête? C'est tout le contraire de ce que je pense.

«Je ne me rendais pas compte de l'horreur que cela pouvait t'inspirer, déclara Katara avec humeur. Désolée de te l'avoir proposé.»

Mince! La voilà fâchée à présent. Pourquoi avoir prononcé une telle idiotie? Je dois rectifier la situation.

«Non, non. Je veux dire, s'il s'agit de choisir entre mourir et t'embrasser…» Flûte! Je m'enfonce davantage. Je ne dis rien de sensé quand il s'agit de Katara. C'est bon, recommençons une autre fois.

« Je veux dire que je préfère t'embrasser que mourir. Il s'agit d'un compliment. »

« Je ne sais pas lequel des deux me tente le plus ! »

La voilà qui sort du tombeau en coup de vent. Génial. Plutôt que d'arranger les choses, je n'ai fait que les empirer. Pourquoi ai-je si peur de montrer mes sentiments à Katara ? Ça ne change rien, à présent. J'ai vraiment tout gâté.

« D'ici quelques secondes nous n'aurons plus de lumière, pas vrai ? » ai-je demandé en accourant auprès d'elle.

« Je le crains. »

Au moins, elle m'adresse encore la parole. « Qu'allons-nous faire alors ? »

« Que pouvons-nous faire ? » Elle se tourne vers moi. C'est alors que la torche s'éteint.

Nous nous trouvons à présent dans l'obscurité totale sans espoir de sortir de là, sauf de croire à la légende. De croire en l'amour. Je vais simplement m'abandonner à cette idée. Allons Aang, soit brave ! Qu'as-tu à perdre ? Tu n'as qu'à te pencher vers elle et…

Ça par exemple ! Qu'est-ce que cette trace de lumière sur la voûte de la caverne ? J'imagine que l'amour va véritablement nous indiquer la voie à suivre ! Les points lumineux me semblent provenir d'une forme de cristal.

« Ils ne doivent luire que dans l'obscurité complète », dis-je.

«C'est ce que signifie la maxime voulant que l'amour se manifeste en toute clarté dans le noir ! s'exclame Katara. C'est ainsi que les deux amoureux se sont rencontrés. L'amour les a éclairés et ils ont suivi les cristaux.» Ainsi, nous avons suivi les cristaux jusqu'à sortir de la caverne. Puis nous avons pris congé des nomades et avons poursuivi notre route.

Nous sommes si près d'Omashu que j'en perçois les odeurs. De l'autre côté de cette haute colline et nous y… non ! Je n'en crois pas mes yeux. Pendu à l'une des grandes murailles de la ville d'Omashu dans le Royaume de la Terre, j'aperçois l'étendard de la Nation du Feu !

14

Les choses ne se sont pas déroulées comme prévu depuis que nous avons entrepris ce périple au Royaume de la Terre, et obtenir de Bumi qu'il m'instruise dans l'art de maîtriser la terre est une autre de ces choses. Bien qu'Omashu ait été conquise par la Nation du Feu, j'ai voulu que nous nous y rendions à la recherche de Bumi.

Sur le chemin qui conduisait à la ville, nous avons été attaqués par un maître du feu et nous sommes tombés sur quelques membres de la résistance du Royaume de la Terre. Je les ai interrogés au sujet de Bumi et j'ai appris qu'il avait rendu les armes au premier jour de l'invasion. Cela ne cadrait pas avec le caractère de mon vieil ami Bumi; aussi, je n'en ai rien cru dans un premier temps, mais cela tombe sous le sens à présent. C'est que, alors que j'étais à la recherche de Bumi, Sokka et Katara ont procédé à l'évacuation des habitants du Royaume de la Terre qu'ils ont fait sortir de la ville sous prétexte qu'ils étaient infectés par le pentapox. Les pentapi sont des créatures inoffensives qui parasitent les êtres humains et laissent des marbrures sur la peau, mais la Nation du Feu ignorait tout de leur existence. Les autorités croyaient que ces traces violacées étaient contagieuses et elles ont consenti à ce que la population quitte la ville. C'est alors que Katara et Sokka se sont rendu compte que le nouveau-né du gouverneur d'Omashu les avait suivis en dehors des murs de la ville. Nous avons décidé de procéder à l'échange de l'enfant contre le roi Bumi. Mais au moment même où nous nous apprêtions à passer à l'action, un autre maître du feu s'est interposé pour annuler le marché. On a donc ramené Bumi où il se trouvait. Je suis parti à sa poursuite et, tout en esquivant des boules de feu, j'ai pu m'entretenir un moment avec mon vieil ami.

Il m'a raconté qu'en plus des jings (ou techniques) positifs et négatifs nécessaires à l'attaque et à la retraite, la maîtrise de la terre fait également appel à un jing neutre qui s'articule autour de l'écoute et de l'attente du moment opportun pour frapper. Bumi attend le moment opportun pour passer à l'attaque. Il reprendra Omashu alors que la Nation du Feu s'y attendra le moins. Il ne m'enseignera pas à maîtriser la terre, mais il m'a dit où trouver quelqu'un qui maîtrise le jing neutre. Je dois trouver un maître qui sait patienter et écouter avant de passer à l'action.

Je me demande à quel moment je reverrai mon vieil ami Bumi. Entre-temps, je dois trouver un maître de la terre qui sait attendre et écouter avant de frapper, ainsi que Bumi me l'a conseillé.

Chapitre 3

Nous avons survolé le Royaume de la Terre, sans vraiment savoir où nous nous dirigions. Alors que nous étions au-dessus d'un marécage, je l'ai entendue qui m'interpellait et me demandait de me poser. Je me suis dit que si, en réalité, j'entendais l'appel de la terre, je ne devais pas l'ignorer.

Quelques secondes plus tard, un vent violent nous entraîna vers le marécage. Au moment de toucher terre, nous étions séparés. Alors que je me trouvais seul, j'ai eu cette vision d'une fille vêtue d'une tunique blanche qui riait. Elle semblait vouloir que je la suive et elle riait à gorge déployée alors que je la pourchassais à travers le marécage. Puis elle disparut.

Le vent se révéla un maître de l'eau désireux de protéger le marécage. Il nous expliqua que le marécage n'est en fait qu'un arbre géant solidaire de tout ce qui existe, que le monde entier est solidaire et que le temps n'est qu'une illusion.

Mais si le temps est une illusion, peut-être que cette fille que j'ai vue est quelqu'un dont je ferai un jour la connaissance. Sokka et Katara ont eu des visions eux aussi, sauf qu'il s'agissait de personnes qu'ils avaient connues par le passé. Hum... Je souhaiterais parfois être plus vif d'esprit; cela me serait assurément utile dans ma fonction d'Avatar.

Quoi qu'il en soit, nous sommes sortis du marécage et nous avons pris la direction de la ville de Gaoling afin d'y trouver l'Académie de maîtrise de la terre de maître Yu où nous escomptions trouver un maître. Mais maître Yu ne semblait intéressé qu'à me vendre davantage de leçons! C'est alors que j'ai compris qu'il n'était pas celui que je cherchais!

Par la suite, j'ai entendu parler d'un tournoi axé sur la maîtrise de la terre dit Baston Terrien Six lors duquel les meilleurs maîtres de la terre de la ville s'affrontent les uns les autres. Nous y avons donc assisté. La manifestation ne ressemblait à rien de ce que j'avais vu jusqu'alors. Xin Fu, l'organisateur du tournoi, présentait des maîtres de la terre affublés de noms tels que Gros Galet et Gauphre. Ces colosses étaient des durs de durs! Gros Galet avait battu tous ses opposants. Au départ, j'ai cru qu'il était le champion en titre, mais je ne le percevais pas du tout comme le maître dont Bumi m'avait parlé. Je suis convaincu que Gros Galet ne patiente ni n'écoute. Oh! voici le dernier adversaire de Gros Galet, une fillette aveugle âgée de douze ans. Elle s'appelle Colin–maillard. Elle est la championne en titre. Elle doit être super–douée. Il me tarde de la voir à l'œuvre!

C'est alors que Colin–maillard a éclaté d'un rire moqueur.

Mince! J'ai déjà entendu ce rire. Il s'agit de la fille dont j'ai eu la vision dans le marécage! Il s'agissait vraiment de quelqu'un appartenant à l'avenir. J'imagine que je suis plus vif d'esprit que je ne le croyais!

Une chose étonnante s'est produite — la fille aveugle a battu Gros Galet! À chaque pas que faisait ce dernier, Colin–maillard savait avec exactitude où il se trouvait. Elle déplaça son poids d'un pied vers l'autre. Ce seul mouvement était suffisamment puissant pour faire naître une ride au sol qui se dirigea vers Gros Galet avec la force d'une vague. Alors qu'il posa le pied par terre, la vague le frappa et le fit tomber dans la position du grand écart. Par la suite, Colin–maillard fit jaillir du sol trois flèches de pierre qui assommèrent Gros Galet et le mirent hors de combat. La rencontre s'était achevée en l'espace de quelques secondes.

«La grande gagnante, toujours championne en titre, Colin–maillard!» lança Xin Fu depuis le centre de l'arène.

« Comment s'y est-elle prise pour réussir pareil coup ? » demanda Katara.

La réponse m'est venue d'un coup. « Elle a patienté et prêté l'oreille » ainsi que Bumi l'avait conseillé.

Le maître de cérémonie a ensuite offert des pièces d'or à quiconque dans l'auditoire parviendrait à la vaincre, et je me suis porté volontaire. Je souhaitais simplement m'approcher suffisamment d'elle pour lui demander de m'enseigner les techniques de maîtrise de la terre, mais elle frappait de ses mouvements issus de la terre. En dernier ressort, j'ai dû me résoudre à la mettre k.-o. par des mouvements aériens. Elle était passablement en colère et a vite quitté l'arène.

Nous avons réussi à la retracer, car elle appartient à la famille Beifong. Cette fille est membre de la famille royale ! Étrange, non ? Nous nous sommes rendus à la résidence de Lao et Poppy Beifong. Quel palace ! Un immense domaine entouré de jardins, tenu par une armée de serviteurs. Je me suis présenté comme l'Avatar, puis nous avons été conviés à dîner. À la table prit place Colin-maillard, Toph Beifong de son vrai nom. Maître Yu, le dirigeant de l'Académie de maîtrise de la Terre, était également présent. C'est lui qui enseigne les techniques à Toph — comme si elle avait besoin d'un maître !

Quoi qu'il en soit, il s'avéra que ses parents n'avaient aucune idée de qui était leur fille. Ils

croyaient qu'elle n'était encore qu'une débu-
tante. Après le dîner, elle me confia que, bien
que ses parents considéraient sa cécité comme
un handicap et qu'ils se montraient plus pro-
tecteurs à son endroit pour cette raison, elle
avait toujours été capable de voir grâce à sa
maîtrise de la terre. Elle éprouvait les vibrations par ses pieds et elle savait ainsi tout ce
qu'il lui importait de connaître, c.–à–d. beaucoup
plus que ce que perçoivent la plupart d'entre
nous.

Elle a dû avouer la vérité à ses parents, car
nous avons été surpris dans une embuscade
tendue par les maîtres de la terre du Baston
Terrien Six. Ils désiraient s'emparer des pièces
d'or que j'avais remportées. Tout s'est cependant
bien terminé et Toph a accepté d'être mon
maître. Je suis tout excité à cette idée. Je
crois qu'elle sera pour moi le maître que Bumi
avait en tête.

Nous voilà repartis sur le dos d'Appa et,
pour la première fois depuis longtemps, l'avenir
me paraît moins sombre.

Chapitre 4

Un soir à notre campement, Toph est sortie précipitamment de sa tente afin de nous réveiller. «Quelque chose vient vers nous.»

Ses pieds ultrasensibles captaient les vibrations d'une chose qui approchait en roulant.

«Ferions-nous mieux de partir d'ici?» demanda Katara.

«La nature semble le penser» dis-je en voyant des dizaines d'animaux détaler de la forêt comme mus par la terreur. «Partons!»

Nous sommes tous montés sur le dos d'Appa pour nous envoler vers d'autres cieux. J'ai jeté un coup d'œil sur ce qui s'approchait de nous. Il s'agissait d'une étrange machine faite de métal de la forme d'un char d'assaut qui crachait une fumée noire. J'ignorais de quoi il s'agissait, mais cela ne m'inspirait rien de bon.

Nous avions beau pousser toujours plus à l'est, la machine finissait chaque fois par nous repérer. En dernier ressort, j'ai dirigé Appa vers une haute montagne coupée par une abrupte falaise.

La chose nous a suivis à trois endroits avant que nous décidions de ne plus fuir et de voir de quoi il s'agissait. Il s'est avéré que c'étaient les trois filles de la Nation du Feu que nous avions affrontées à Omashu et, parmi elles, la maîtresse du feu qui nous avait pourchassés, Bumi et moi, dans les descentes de courrier d'Omashu. Bientôt elles galopaient dans notre direction. Toph a alors déployé quelques mouvements spectaculaires afin de remuer la terre et de leur barrer la route, mais elles ont esquivé les rochers qui pleuvaient sur elles et ont avancé vers nous. Il me semblait évident que nous ne pourrions pas les arrêter. Aussi, une fois de plus, nous avons monté Appa et nous sommes partis dans les airs.

Je sais combien je suis fatigué. Je ne peux qu'imaginer à quel point Appa doit être épuisé après nous avoir portés tous et avoir volé toute la nuit sans fermer l'œil. Hum… Je me demande pourquoi j'ai l'impression d'entreprendre une descente. Appa! Il somnole! Soit! nous devons nous poser, peu importe ce qui suivra. Il a besoin de repos.

Une fois au sol, Katara et Toph se sont mises à discuter pour établir à qui revenait la faute.

«Si quelqu'un doit porter le blâme de ce qui nous arrive, ce doit être le gros poilu, crie Toph en désignant Appa. Il perd son poil et a laissé une trace que les filles n'ont eu qu'à suivre.»

Je n'en crois pas mes oreilles. Comme elle est injuste! Peu m'importe qu'elle soit celle qui m'apprenne à maîtriser l'air, personne ne s'adresse de la sorte à Appa en ma présence. «Comment oses–tu blâmer Appa? Il t'a sauvé la vie à trois reprises aujourd'hui. Tu es un poids de plus pour lui. Il n'avait aucun mal à voler lorsque nous étions tous les trois!»

Oups. Je crois que mes mots ont dépassé ma pensée. Je n'ai pas vraiment voulu dire cela. Je suis à bout et j'ai horreur que l'on médise à propos d'Appa. J'ai tout de même eu de dures paroles... je me demande comment elle réagira...

«À un de ces quatre!» dit–elle enfin. Puis elle a pris son sac avant de disparaître dans la forêt.

«Je n'arrive pas à croire que j'ai engueulé celle qui m'enseigne la maîtrise de la terre et qu'elle est partie. Je viens de perdre l'occasion de battre le seigneur du Feu, de sauver le monde... d'accomplir ma mission d'Avatar.»

«Je n'ai pas été gentille à son endroit, admit Katara. Nous devons la retrouver et lui présenter des excuses.»

En réalité Toph a raison! Appa est en pleine mue. Il laisse des traînées de poils sur son chemin. Je dois imaginer un plan...

Avant d'aller plus loin, nous avons donné un bain à Appa dans la rivière pour éviter qu'il ne perde d'autres poils en cours de route. J'ai ensuite demandé à Katara et à Sokka de partir à la recherche de Toph sur le dos d'Appa. Quant à moi, j'ai récupéré les poils qu'il avait perdus au bain et je les ai semés pour laisser une fausse piste dans une autre direction. De cette manière, si le char d'assaut suit la trace des poils, il s'éloignera de nous. J'espère que je pourrai calmer le jeu avec Toph, pourtant je dois d'abord éloigner ces filles de nous.

Après avoir survolé la forêt pour y jeter les poils, je me suis posé dans une petite ville perdue. Aucune âme ne semble y vivre. Je devrais probablement quitter les lieux, mais je ne peux pas toujours être en fuite. Je ne dois pas perdre de vue ma mission. Le moment est venu d'affronter quiconque me pourchasse.

Je vais m'arrêter ici et attendre que l'on me trouve pour découvrir ce que l'on me veut. Qu'est-ce que j'entends ? C'est le maître du feu ! « C'est bon. Vous m'avez trouvé ! Qui êtes-vous et que voulez-vous ? » Le moment est venu de vider la question une fois pour toutes.

« Ne vois-tu donc aucune ressemblance ? » demanda-t-elle. Après quoi, elle se couvrit un œil de la main et dit d'une voix râpeuse : « Je dois trouver l'Avatar afin de recouvrer mon honneur. »

Zuko! Elle s'exprime comme lui. Et, à présent que j'y regarde de plus près, elle lui ressemble beaucoup. S'agit-il de la sœur de Zuko? A-t-elle été envoyée pour me retracer? Un malheur s'est-il produit pour que la sœur de Zuko prenne sa place? A bien y songer, il y a un moment que je n'ai pas croisé Zuko... Minute! Pourquoi est-ce que je m'inquiète de Zuko? Il a consacré sa vie à tenter de me capturer pour me remettre à la Nation du Feu. Sans compter que je suis celui qui court un danger. Je me demande si elle est aussi puissante que lui.

« Alors quoi, à présent? » Voyons de quelle étoffe elle est taillée.

« Te voilà en bout de piste, dit-elle. Tu aurais beau courir, je finirai toujours par t'attraper. »

Voilà bien la sœur du frère. « Je ne cours pas. »

« Veux-tu vraiment te battre contre moi? »

« Oui, je le veux vraiment. »

D'accord, je n'aurais pas dû dire ça. Qui... Zuko? D'où est-il sorti? M'a-t-il suivi à la trace? Vont-ils faire équipe contre moi?

« Arrière Azula, menaça Zuko. Il est à moi. »

Je recule à pas lents. Ce n'est pas le moment de combattre deux maîtres du feu à la fois. Toutefois, je n'ai pas le sentiment qu'ils m'attaqueront en duo. Ils ne semblent guère s'apprécier ces deux-là. Ce doit être dur pour Zuko d'avoir une sœur si froide, privée de sentiments. Qu'est-ce que je raconte? Est-ce que j'éprouve de la pitié pour Zuko? Est-ce possible?

« Je vois que vous avez bien des choses à vous dire. Aussi, je vais vous laisser seuls. »

J'aurais mieux fait de me taire. À ce moment même, Zuko et Azula se tournèrent vers moi.

Je ne peux pas m'enfuir. Je dois les combattre tous les deux. Zuko semble plus angoissé que moi. Craint-il sa sœur? Azula sourit simplement; son sourire me donne la chair de poule. Je n'ai aucune issue, sinon les affronter. Je souhaite seulement avoir la force nécessaire pour sortir de là vivant.

Azula vient de frapper. Elle ne s'en est pas prise à moi. Elle attaque Zuko! Pourquoi cherchent-ils à s'affronter de la sorte? Peu importe, ce n'est pas le moment de poser des questions. Je dois me protéger.

En réalité, je crois être encore en vie en raison de leur désir de se battre l'un contre l'autre. Ils semblent oublier ma présence. Sapristi! Azula vient d'asséner un coup à Zuko qui l'a envoyé contre le mur d'un immeuble abandonné. J'éprouve un peu d'empathie pour lui. Sa sœur est si cruelle et, à l'évidence, elle maîtrise bien mieux le feu que lui.

Ah! Alors que Zuko se relève, Azula peut s'occuper de moi. Je suis coincé dans l'angle de l'immeuble en flammes. Ne perds pas ton sang-froid Aang. Pensez un peu... D'où provient cette eau? Elle semble sortir des flammes. « Katara! » Comme je suis heureux de la voir! Sokka est à ses côtés. Azula n'a qu'à bien se tenir à présent. La cavalerie vient d'arriver en renfort.

Azula nous affronte tous autant que nous sommes. Mince, elle est vraiment puissante!

Pourquoi la terre semble-t-elle soudain bouger?

«Je me suis dit que vous auriez besoin d'un coup de main» lance Toph alors qu'elle projetait une onde de choc en direction d'Azula.

La voilà de retour! Je suis content de la voir! Lorsque le combat prendra fin, je lui présenterai mes excuses. Et je la remercierai. Mais je dois d'abord m'en sortir vivant.

C'est à ce moment que surgit Iroh, l'oncle de Zuko, pour aider ce dernier à se relever. Puis une chose bizarre s'est produite. Nous nous sommes tous rendu compte qu'Azula s'efforçait de combattre la terre entière et que, sans être dans le même camp, nous devions nous unir contre elle. Ainsi, Katara, Sokka, Toph, Zuko, son oncle et moi avons formé un cercle autour d'elle.

28

«Je sais reconnaître la défaite», dit-elle alors. Elle capitulait enfin!

Elle n'avait pas dit son dernier mot. Elle porta un coup foudroyant à son oncle et, avant que nous ayons le temps de riposter, elle avait disparu. Katara proposa de donner quelques soins à Iroh, mais Zuko refusa. J'ai peine à croire qu'il refuse notre aide pour porter secours à quelqu'un pour qui il a de l'affection. Il se sent probablement humilié et frustré devant les tentatives de sa sœur de le détruire. Mais pourquoi ne pouvons-nous pas nous allier contre elle? Étrange. Longtemps j'ai craint Zuko et voilà qu'à présent j'ai pitié de lui.

Sokka, Katar, Toph et moi sommes montés sur le dos d'Appa et nous avons filé. Avant de prendre un peu de repos bien mérité, j'ai présenté mes excuses à Toph et l'ai remerciée d'être revenue.

« Garde tes remerciements jusqu'à demain, pieds légers, annonça Toph, alors qu'elle entrait dans sa yourte. Tu prendras ta première leçon pour apprendre à maîtriser l'esprit de la terre. »

Chapitre 5

«Bonjour, apprenti maître de la terre!» lança Toph.

Je me suis vite levé pour me mettre au garde-à-vous. «Bonjour Sifu Toph!»

«Hé! lança Katara en frottant ses yeux lourds de sommeil. Tu ne m'as jamais appelée Sifu Katara.»

Oups! «Si tu penses qu'il le faut...» ai-je répondu avant de me tourner vers Toph.

«Que vas-tu m'enseigner en premier lieu?» demandai-je en ayant peine à contenir mon enthousiasme. «Le lancer de pierres? Comment créer un tourbillon à partir de la terre?»

«Que dirais-tu d'apprendre en premier lieu à déplacer un rocher? proposa Toph. La clef de la maîtrise de la terre tient à la position, continua–t–elle. Tu dois être stable et fort. La pierre est un élément récalcitrant. Pour la déplacer, il faut être bien ancré au sol, être soi–même comme le roc.»

J'ai observé Toph alors qu'elle enfonçait ses orteils dans le sol, comme une plante qui fait ses racines. Par la suite, elle balança les bras dans un mouvement fluide et fit voler un immense rocher qui alla se fracasser contre la falaise. Il explosa en un million de fragments.

Mince qu'elle est douée!

«À toi d'essayer, à présent!» fit Toph.

Je me suis tourné vers un autre rocher et me suis ancré au sol. Stable, fort et récalcitrant, ai–je songé. J'ai ensuite balancé les bras en direction du rocher.

Ouille!

J'ai été propulsé vers l'arrière dans un fort glissement d'air, loin du rocher que j'avais l'intention de déplacer. J'ai atterri quelque quinze mètres plus loin et le rocher n'avait pas bougé d'un iota.

Son imposante masse semblait me narguer. En quoi m'étais–je trompé? J'avais fait exactement les mêmes gestes que Toph, du moins je le croyais.

«Peut–être que si j'abordais ce rocher sous un autre angle je pourrais...»

«Non! cria Toph. Voilà ta faiblesse. Tu dois cesser de réfléchir à la manière d'un maître de l'air. Il n'existe pas d'angle différent, de solution inven–tive ou de truc qui fera déplacer ce rocher. On ne peut pas danser autour du problème comme le font les maîtres de l'air. Il faut l'aborder de front. Assure-toi de ton ancrage. Sois solide comme le roc. Je constate que beaucoup de travail nous attend. »

Cesser de penser à la manière d'un maître de l'air ? Comment pourrais-je ? Ce serait nier qui je suis. Plutôt que de m'aider, elle exige de moi l'impossible. Je n'ai pas eu ce genre d'ennui lorsque Katara m'a enseigné la maîtrise de l'eau — j'ai tout saisi en peu de temps. Il en va autrement cette fois. Et Toph est différente de Katara. Elle n'est pas aussi gentille et com-préhensive.

32

Par la suite, Toph m'a demandé de faire un parcours à obstacles, une lourde pierre posée sur mon épaule. J'ai cru que j'allais y rester. Ensuite, j'ai dû plonger les mains dans un tonneau de sable. Toph y est parvenue sans difficulté mais, en dépit de l'énergie que je déployais, le sable m'écorchait et me brûlait la peau.

Pourquoi ai-je autant de difficulté ?

Par la suite, nous nous sommes essayés au combat et j'étais encore moins doué ! Toph s'est époumonée à me crier : « Solide comme le roc ! » Mais j'ai ployé vers l'arrière à la manière des maîtres de l'air lorsqu'ils battent en retraite.

J'ai tout faux. Je ferais peut-être mieux de tout abandonner avant de me blesser.

« Cesse de réfléchir comme un maître de l'air ! » cria Toph à plusieurs reprises.

. Je m'y efforce, mais j'ai consacré ma jeune vie à la perfection de cette technique. Mon instinct semble le plus fort. Est-il possible de le modifier?

Après plusieurs heures d'exercice, j'ai enfin accompli quelques progrès. Toph m'a demandé de lancer dans les airs un sac plein de pierres et de me déplacer afin de l'attraper. Et j'ai réussi! J'ai refait l'exercice maintes et maintes fois en me dirigeant vers Toph, qui se trouvait devant moi. Alors que j'approchais d'elle, elle m'a crié quelque chose à tue-tête; je n'ai pas bronché. Je suis resté stoïque. Je n'ai pas sursauté. Je suis resté ancré au sol comme un roc. Toph m'a adressé un signe d'approbation.

Je suis si heureux que je pourrais flotter sur un nuage. Ce serait contraire à l'esprit du roc.

Je n'ai pas connu la joie très longtemps. Nous étions au bas d'une longue rampe que Toph avait aménagée au sommet de laquelle reposait un énorme rocher.

« Je vais entraîner ce rocher dans une chute qui le précipitera vers toi, expliqua-t-elle. Si tu adoptes l'attitude d'un maître de la terre, tu resteras sur place et tu freineras le rocher. »

J'ai soudain eu envie de vomir. Que se passerait-il si j'échouais? Stopper la chute d'un rocher me semblait plus ardu que simplement le déplacer.

« Navrée Toph, dit Katara, mais tu crois vraiment que c'est là la meilleure manière d'enseigner à Aang la technique de la maîtrise de la terre? »

« À vrai dire, Katara, il existe une meilleure méthode », répondit Toph.

Ouf! Merci Katara! Je n'aurai peut-être pas à freiner cet énorme rocher. Minute papillon! Pourquoi Toph est-elle en train de me bander les yeux? Il s'agit sûrement d'une plaisanterie.

«De cette manière, tu devras sentir la vibration du rocher afin d'arrêter sa course», expliqua Toph.

Génial! Merci du coup de main, Katara! À présent, je suis persuadé de finir en crêpe. Je n'ai plus qu'à prendre une profonde inspiration, à ancrer mes pieds au sol, à prendre la position et à tendre les mains devant moi. Tu vas arrêter ce rocher, Aang, bien que tu aies les yeux bandés.

Toph a ensuite donné une poussée qui ébranla le sol.

Je sens les vibrations sous mes pieds. Une espèce de roulement. Je sens le rocher qui roule de plus en plus vite. Il s'approche de plus en plus, il n'est qu'à quelques centimètres de moi. Aïe! Je dois bouger de là! Le rocher va bientôt m'écraser. Je ne peux le déplacer. Je ne peux freiner sa course. Je ne suis pas un maître de la terre, inutile de chercher plus loin! Saute et sauve ta peau!

Alors le rocher roula à proximité de moi sans m'atteindre.

«Tu as échoué! cria Toph. Tu étais en bonne position et en parfaite forme, mais au final tu as manqué de cran.»

Elle a raison. J'ai échoué. Quel piètre Avatar je fais!

«Je sais. Je suis désolé.»

« Tu ES désolé ? Quel mollusque sans caractère ! À présent, as-tu le sang-froid nécessaire pour faire face à ce rocher à la manière d'un maître de la terre ? »

Pourquoi se croit-elle obligée de crier après moi tout le temps ? Pourquoi rend-elle les choses si ardues ? Elle me traite comme un gamin et comme si elle était l'énième merveille du monde. Elle est insupportable.

« Non, ai-je répondu en lui tournant le dos. Je ne pense pas avoir le sang-froid qu'il faut. »

Katara m'a proposé de nous exercer aux techniques de maîtrise de l'eau. À vrai dire, je n'ai pas envie de faire quoi que ce soit, mais Katara est si gentille à mon endroit et me replonger dans cette technique me changera peut-être les idées. Je dois chasser l'échec de mon esprit pendant quelque temps. Oublier combien je suis nul à la maîtrise de la terre et combien Toph est mesquine.

« Le blocage qui t'empêche d'agir n'est que temporaire, pas vrai ? » demanda Katara.

Je me doutais bien qu'elle ne pourrait pas éviter le sujet trop longtemps.

« Je ne veux pas en parler. »

« C'est bien là le problème, Aang. Confronter la question au lieu de l'éviter, voilà ce que ferait un maître de la terre. »

« C'est bon, j'ai compris ! Je dois affronter la situation. Être solide comme un roc. Je sais. J'en suis incapable. J'ignore pourquoi, mais je n'y parviens pas. »

J'aurais envie qu'elle me laisse seul. Bien entendu, elle n'en fera rien.

« Aang, si le feu et l'eau sont des éléments qui s'opposent, quel est l'élément qui s'oppose à l'air ? »

« La terre, j'imagine. »

« Voilà pourquoi tu as tant de mal à acquérir cette technique. Il te faut employer une force qui t'est naturellement contraire. Mais tu y parviendras. Je sais que tu en es capable. »

Je n'avais jamais vu les choses sous cet angle. Je pense qu'elle a raison. J'apprendrai peut-être à maîtriser les forces de la terre si je pense et si j'agis à l'opposé de ce que j'ai toujours fait comme maître de l'air. Se peut-il que ce soit aussi simple ? Je crois en être capable. Du moins, puis-je essayer.

Alors que je commençais à mieux me porter, Toph s'est mise à faire des siennes. D'abord, elle a pris des noix dans mon sac sans demander la permission. Je ne m'en suis pas formalisé, car je suis toujours heureux de partager. Ensuite, elle s'est servie de mon bâton ancien, qui a été sculpté par des moines, comme d'un casse-noisettes. Cela m'a plutôt ennuyé.

Je pense qu'elle cherche à me faire fâcher. Elle croit peut-être que cela va enclencher un ouragan intérieur qui va m'aider à manipuler les forces de la terre. En fait, je ne suis pas vraiment fâché. J'aime partager avec autrui ;

je suis ainsi fait. Mais je devrai lui dire de ne plus toucher à mon bâton. Peut-être plus tard. Je ne suis pas prêt à une autre confrontation avec elle.

Katara est venue me dire qu'elle ne parvenait pas à trouver Sokka. Nous nous sommes séparés pour partir à sa recherche et je l'ai trouvé prisonnier au fond d'un trou. J'ai tenté de l'en faire sortir en maniant les forces de l'air, mais j'ai seulement réussi à lui souffler de la poussière au visage.

« Aang, je sais que tu es novice, mais si tu maniais un peu les forces de la terre... »

J'en suis incapable. Que se passerait-il si je m'y essayais et si j'échouais de nouveau? J'aurais l'impression d'être un double perdant. Je pourrais aller chercher Toph, mais ce serait comme d'admettre mon impuissance.

C'est alors qu'une lionne-élan à dents de sabre est apparue; elle cherchait son lionceau avec lequel Sokka avait joué avant de tomber au fond du trou.

« Aang, je n'aime pas ça! lança Sokka d'un ton de panique. Tu dois me sortir de là! »

L'heure est grave. La vie de Sokka est en jeu. Je dois cesser de m'apitoyer sur mon sort et mettre en pratique ce que Toph m'a enseigné. Le moment est venu de réfléchir à la manière d'un maître de la terre et de sortir Sokka du pétrin.

Mes pieds sont ancrés au sol. Je ne vais pas bouger, peu importe ce qui se passe, pas même à présent que la bête fonce droit vers moi.

Hé! Voilà qu'elle s'immobilise. Elle se tourne et s'en va. L'ai-je contrainte à s'en aller? Ma volonté était-elle forte au point qu'elle ne pouvait l'affronter?

À ce moment, Toph est sortie des buissons. Elle avait tout vu. «Pourquoi ne nous es-tu pas venue en aide?» lui ai-je demandé. J'ai peine à croire qu'elle nous a laissés courir un tel danger.

«J'imagine que l'idée ne m'est pas venue», répondit-elle en laissant tomber une noix sur le sol avant de la faire éclater avec mon bâton.

C'est le bouquet. À présent je suis vraiment en colère. Ce bâton a de la valeur à mes yeux et elle n'a aucun droit de s'en servir de la sorte. «C'est assez!» J'ai tendu le bras et me suis emparé du bâton avant qu'il ne touche le sol. «Donne-moi ce bâton! Tout de suite!»

«Vas-y! cria Toph en lâchant le bâton. Vas-y maintenant!»

«De quoi parles-tu?»

«De la maîtrise de la terre, idiot! Tu as tenu tête à un fauve et, ce qui m'impressionne davantage, tu viens de me tenir tête à moi. Tu as ce qu'il faut. Agis, à présent!»

Elle avait beau agir comme un gendarme, je savais qu'elle avait raison. Je me suis donc ancré au sol et je me suis concentré sur la puissance de mon esprit. J'ai ensuite bougé les bras autour de moi ainsi qu'elle me l'avait enseigné et j'ai envoyé voler un gros tas de pierres.

«Tu y es parvenu! cria Toph. Tu es un maître de la terre!»

Élle est fière de moi! À vrai dire, je suis également fier. J'ai peine à croire que j'y suis parvenu. Je suis un maître de la terre. Je me suis tourné vers Sokka afin de le dégager de sa prison, Toph m'en a empêché.

« Tu ferais mieux de me laisser agir. Tu es encore novice et tu pourrais l'écraser par inadvertance. »

Chapitre 6

Aujourd'hui, nous avons fait la connaissance d'un professeur d'anthropologie qui cherchait cette bibliothèque légendaire censée regrouper davantage de livres que toute autre au monde. Sokka croyait que nous pourrions y trouver une carte de la Nation du Feu ou du moins quelque information en ce sens qui pourrait nous être utile. Nous sommes donc convenus de l'accompagner dans sa recherche. Lorsque nous avons trouvé la bibliothèque, Sokka, Katara, le professeur, Momo et moi y sommes entrés alors que Toph et Appa sont restés à nous attendre à l'extérieur.

Sokka fit une étonnante découverte à l'intérieur. Il apprit que les maîtres du feu perdent leur pouvoir au cours d'une éclipse solaire parce que l'astre du jour est alors dissimulé derrière la lune. Nous avons calculé la date de la prochaine éclipse du soleil à partir de cet étonnant calendrier.

« Si nous attaquons la Nation du Feu, elle sera sans défense lança Sokka. Nous devons passer le message au roi de la Nation de la Terre à Ba Sing Se ! »

Malheureusement, l'esprit de la bibliothèque a entendu Sokka et il était si fâché que nous employions ses connaissances à nos propres fins qu'il décida de faire sombrer la bibliothèque sous les sables du désert afin que son savoir ne parvienne pas aux êtres humains.

Le professeur décida de rester, entouré de tout le savoir du monde mais, grâce au ciel, Sokka, Katara et moi sommes parvenus à sortir juste avant que la bibliothèque ne s'abîme dans les sables.

Nous sommes enfin à l'extérieur. Ouf ! Sauf que je n'aperçois Appa nulle part. Toph est là... Où a-t-il pu passer ? Et pourquoi Toph semble-t-elle si grave ?

« Où est Appa ? » Elle ne répond pas... Voilà qui est de mauvais augure.

« Toph, que s'est-il passé ? » Oh non ! Un étrange vertige s'empare de moi et la crainte me ronge les tripes. « Où est Appa ? »

J'écoute horrifié, alors que Toph raconte qu'au moment où la bibliothèque a commencé à s'enfoncer, elle s'est servie de ses pouvoirs afin de la retenir jusqu'à ce que nous réussissions à en sortir. Alors qu'elle s'y employait, un groupe de maîtres des sables a enlevé Appa et l'a conduit en un lieu inconnu.

J'ai eu le sentiment que l'on m'arrachait un membre. D'aussi loin que je me souvienne, Appa a toujours été à mes côtés. Et le voilà disparu, à présent! Disparu!

« Comment as-tu pu les laisser faire? » Je me moque bien qu'elle soit mon maître. Je veux retrouver Appa! « Pourquoi n'as-tu rien fait pour les arrêter? »

« Je ne pouvais pas, répondit-elle d'une faible voix. La bibliothèque s'enfonçait et vous étiez toujours à l'intérieur. Vous auriez tous été perdus si j'étais partie à la rescousse d'Appa. Je sens à peine les vibrations lorsque je me trouve sur du sable. Les maîtres des sables se sont approchés de moi sans faire de bruit et je n'ai pas eu le temps de... »

« Tu te moquais bien de lui! Tu n'as jamais aimé Appa. Tu souhaitais qu'il disparaisse! »

Assez de ses prétextes! J'ai peine à accepter ce qui arrive. Et si je ne le retrouvais plus?

Katara est intervenue. « La ferme, Aang! Toph a fait ce qu'elle a pu. Elle nous a sauvé la vie! »

Voilà que Katara se range contre moi! C'en est trop! « La seule chose qui vous importe est votre petite personne. Vous vous moquez bien de savoir ce qu'il advient d'Appa. »

Jamais je ne me suis senti aussi seul. Le compagnon de toute une vie a disparu. Mes amis se sont tous ligués contre moi. Il est évident qu'aucun ne va m'aider. Je devrai retrouver Appa seul.

« Je pars à sa recherche ! » J'ouvre mon planeur avant de me tourner vers Toph. « Quelle direction ont-ils pris ? »

Toph haussa les épaules et pointa du doigt. Observant le sol, j'ai aperçu la trace laissée par le voilier des sables que les ravisseurs avaient dû emprunter.

« Je reviendrai lorsque je l'aurai retrouvé. » J'ai ensuite bondi dans le ciel.

J'ai tant de peine, je pourrais pleurer. J'ignore ce que je ferai si je ne le retrouve jamais. Comment est-il possible que votre meilleur ami soit à vos côtés et qu'il ait disparu l'instant d'après ? Je n'y comprends rien. Courage Aang ! Continue tes recherches. Tu dois le trouver !

J'ai suivi la piste pendant quelque temps, mais les vents du désert ont vite fait de les effacer. J'ai survolé le désert pendant des heures, j'ai cherché dans toutes les directions, en vain.

J'ai atterri à l'endroit où s'était élevée la bibliothèque peu auparavant. Katara s'est approchée et a posé sa main sur mon épaule. « Je suis désolée, Aang. Je sais que tu as du chagrin en ce moment, mais nous devons songer au moyen de partir d'ici. »

Je n'ai aucune envie de songer à quoi que ce soit, sauf à Appa. Rien d'autre m'importe. Ni mes amis, ni le fait que je suis l'Avatar, ni sauver le monde. Pas même sortir de ce désert vivant. « Qu'est-ce que ça peut faire ?

Nous savons tous que, sans Appa, nous n'en sortirons pas vivants. »

Katara s'efforçait de me regonfler le moral; je l'écoutais à peine. On m'appelle le dernier maître de l'air, mais ce n'est pas exact. Appa était… est lui aussi un maître de l'air. Personne, pas même Katara, ne le comprend comme moi. À leurs yeux, il n'est qu'une grosse bête à fourrure. Je sais que c'est un être singulier et que nous sommes aussi proches l'un de l'autre que je le suis de mes amis humains.

Soudain, Katara m'a saisi la main et m'a aidé à me remettre sur pieds. «Aang, lève-toi. Nous allons sortir de ce désert. »

Sa volonté semble inflexible. Moi, je me moque bien que nous restions ou que nous partions. Sans Appa, rien ne m'importe.

Katara a décidé qu'il vaudrait mieux nous reposer pendant le jour et nous déplacer la nuit en nous laissant guider par les étoiles pour nous rendre à Ba Sing Se. Alors que nous faisions route, Toph trébucha sur quelque chose enfoui dans le sable. Il s'agissait d'un voilier de sable.

«Il est doté d'un compas, dit Katara avec enthousiasme. Aang, si tu peux nous envoyer un coup de vent, nous naviguerons jusqu'à Ba Sing Se. Nous allons nous en sortir ! »

J'étais un peu soulagé en apprenant que nous n'allions pas tous périr. Mais ce n'était pas la joie. J'ai fait appel à mes pouvoirs pour propulser le voilier des sables et nous avons surfé sur les dunes jusqu'à ce que, soudain, nous soyons attaqués par des busards–guêpes. Une tempête de sable s'est levée pour entraîner ces créatures loin de nous. Lorsque la tempête s'est calmée, nous avons vu qu'un groupe de maîtres des sables l'avait provoquée afin de nous sauver.

Je ne suis pas d'humeur à présenter des remerciements. Des maîtres des sables ont enlevé Appa...

« Que faites–vous sur nos terres avec ce qui semble un voilier des sables volé ? » demanda le chef des maîtres des sables.

« Nous voyageons en compagnie de l'Avatar. On nous a volé notre bison et nous devons nous rendre à Ba Sing Se, répondit Katara. Le voilier était abandonné dans le désert. »

« Vous osez accuser nos gens de vol alors que vous voyagez à bord d'un voilier des sables volé ? » lança un jeune maître des sables avec colère.

« Silence Ghashiun ! cria un homme plus âgé. Nul n'accuse nos gens de quoi que ce soit ! »

« Navré, père », répondit Ghashiun en faisant un pas en arrière.

Toph se pencha pour me souffler à l'oreille. « Je reconnais la voix du fils et jamais je n'oublie une voix. C'est lui qui a volé Appa. »

Je me suis précipité vers Ghashiun sous l'effet de la colère. « Tu as volé Appa ! ai–je crié, bouillant de rage. Où est–il ? Qu'est–ce que tu lui as fait ? »

« Ils mentent ! lança Ghashiun. Les voleurs, ce sont eux ! »

Ces gens vont me dire où se trouve Appa, à défaut de quoi ils vont payer un lourd tribut. Je vais leur montrer combien je suis sérieux en portant un violent coup de vent à l'un de leurs voiliers des sables…

BAM !

Il a volé en éclats. Les maîtres des sables ont reculé, sous le choc.

« Où se trouve mon bison ? »

« Je ne l'ai pas pris ! » cria Ghashiun.

« Tu as dit à l'autre de lui passer une muselière », cria Toph à son tour.

46

« Tu as muselé Appa ?! » Je me maîtrise difficilement. J'ai envie de hurler à la seule idée de voir Appa avec une muselière.

J'ai porté un violent coup de vent à un autre voilier des sables avant de poser les yeux sur les maîtres des sables. D'ordinaire, l'idée de me battre contre quelqu'un contrevient à tous mes principes, à tous les enseignements que les moines m'ont prodigués. Je suis désolé, mais je ne peux m'empêcher de vouloir recourir à la force contre ces gens…

« Navré ! cria Ghashiun. J'ignorais qu'il appartient à l'Avatar. »

« Où Appa se trouve-t-il ? »

« Je l'ai échangé à un groupe de nomades. Il est probablement à Ba Sing Se à l'heure qu'il est. Ils vont tenter de le vendre sur la place du marché. »

Appa mis en vente, comme un vulgaire morceau de viande? Trop, c'est trop! Je suis tellement en colère que... je pourrais...

La colère s'est alors emparée de moi et je suis passé à l'état de l'Avatar. Au bout de quelque temps, une étrange sensation de calme m'a envahi alors que je quittais mon corps pour m'élever au-dessus du sol. Alors que je regardais en bas, je me suis rendu compte que mon courroux avait déclenché de violents coups de vent qui fouettaient ceux qui se trouvaient au sol. J'ai vu Sokka s'emparer de Toph afin de l'entraîner loin de moi. J'ai vu les maîtres des sables fuir sous le coup de la frayeur. Puis j'ai vu mon corps au centre du tourbillon de vent.

Mais Katara, combattant le vent à chaque pas, s'est peu à peu avancée vers moi. Cette fois, elle ne semblait pas avoir peur. Elle s'est approchée pour me faire l'accolade, sans dire un mot.

Ma colère a fini par s'estomper et j'ai vu s'éteindre les vents. J'ai ensuite senti que je retournais à la terre, que je réintégrais mon corps. Katara avait fait pour moi une chose impossible avec des mots. Son accolade m'avait témoigné son soutien indéfectible, exempt de tout jugement, de prêchi-prêcha, de crainte. Elle a fait vibrer une corde enfouie profondément en moi. J'ai senti que mon cœur s'ouvrait à elle...

Soudain, le vent cessa de souffler. La douleur que j'essayais de contenir se fit sentir

47

avec la puissance d'un ouragan. J'ai fermé les paupières, me suis rendu aux bras de Katara et j'ai pleuré comme jamais auparavant.

Chapitre 7

J'ai fait de mon mieux pour chasser Appa de mon esprit. J'ai tenté de faire porter mes pensées et de canaliser mon énergie sur la route qui mène à Ba Sing Se et sur le message que je devais porter au roi de la Terre à propos de l'éclipse solaire.

Nous sommes enfin sortis du désert pour arriver à un étang dans lequel se jetait une cascade. Nous avons fait route sur une bande de terre appelée le passage du Serpent en compagnie d'une famille de réfugiés rencontrée chemin faisant. Le passage du Serpent nous a certes donné des sueurs froides, pourtant nous en sommes sortis sans mal.

Katara me presse de questions au sujet d'Appa mais, après ce qui vient de se produire dans le désert, je m'efforce le plus possible de faire preuve de détachement. L'état de l'Avatar est vraiment dangereux et, aussi longtemps que je ne pourrai pas le maîtriser, je préfère ne pas me mettre en colère ou éprouver un profond chagrin. Katara a probablement du mal à comprendre mon point de vue, elle qui est tout émotive.

Ai-je dit que l'une des femmes de la famille de réfugiés est enceinte? En fait, le travail vient de commencer. C'est encore heureux que nous ayons franchi le passage du Serpent, n'est-ce pas? Katara l'a prise sous son aile et l'aide à accoucher en ce moment. Elle sait comment, car elle aidait Gran Gran à mettre les enfants au monde lorsque nous étions à la maison. Minute! Je viens d'entendre pleurer… C'est un garçon!

50

À présent, je me trouve à l'intérieur de la tente. La mère et le père font des câlins au nouveau-né. Le poupon est la plus jolie chose que j'aie vue de ma vie! Je suis bouche bée de les voir célébrer au milieu de tant de souf-frances et de combats. Je crois que l'enfant nous rappelle que la vie continue quoi qu'il en soit. J'imagine que ce sont là les motifs de l'existence : aimer et s'occuper de sa famille.

J'oublie parfois que j'ai une famille à présent — Katara, Sokka, Momo et Appa. Même Toph. L'absence d'Appa ne doit pas m'empêcher de me soucier des autres que j'aime. En fait, son enlèvement m'a permis de comprendre que je dois leur prouver à quel point je tiens à eux, car on ne sait jamais ce qui

nous attend. Appa me manque et c'est com—
préhensible. J'ai le droit d'être triste et de me
tourner vers Katara pour chercher son soutien.
C'est la raison d'être de la famille, pas vrai?

« J'ai connu de rudes épreuves récemment,
ai—je confié à la famille. Vous m'avez rendu
l'espoir. »

Katara prit ma main et me sourit avec douceur.
Mon cœur bat si fort que j'ai peine à respirer!
« J'essayais de me montrer fort, mais je tournais
le dos à mes sentiments. Voir cette famille unie, si
heureuse et aimante, m'a rappelé mes sentiments
envers Appa. »

Allons Aang, tu en es capable…

« Et envers toi. » Voilà ce que j'aurais dû lui
dire dans la caverne des deux amoureux…
J'espère à tout le moins m'être racheté depuis!

51

Katara a fondu en larmes. J'imagine que
j'ai vraiment une famille à moi. Une famille
aimante, de surcroît.

J'ai fait mes adieux, après quoi Momo et
moi sommes partis à la recherche d'Appa.
« Je promets de le retrouver le plus vite possible.
C'est un engagement que je dois tenir. Je vous
verrai tous à Ba Sing Se. »

Chapitre 8

52 Nous sommes presque arrivés à la muraille qui entoure Ba Sing Se. Il me tarde de retrouver Appa. Quoi, qu'est-ce que c'est? Oh, non! Une imposante armée de la Nation du Feu marche en direction de la ville! Il doit y avoir des milliers de chars d'assaut et de soldats qui progressent en direction des remparts. Et qu'est-ce que cette chose? On dirait un immense trépan en métal. Ils doivent avoir planifié de forer un trou dans la muraille de Ba Sing Se afin d'envahir la ville. C'est horrible! Je dois prévenir les autres.

« Désolé, Momo. Appa va devoir patienter. »

J'ai rencontré mes amis à l'extérieur de la muraille de Ba Sing Se et je leur ai parlé du trépan. Toph et moi avons déplacé un tas de pierres contre la paroi de la muraille, de sorte que chacun puisse l'escalader et voir l'énorme trépan qui approchait.

Une fois franchies les portes de la ville, je me suis présenté au premier garde rencontré. Je lui ai dit que je suis l'Avatar et qu'il devait me conduire à celui qui dirigeait la capitale. Ensuite, les trois maîtres du feu qui nous suivaient sont apparus et ont attaqué les soldats du royaume de la Terre. L'un d'entre eux, Ty Lee, peut s'emparer du qi des autres et les priver ainsi de leur pouvoir. De quoi vous faire frissonner.

De toute manière, Sokka avait un plan pour freiner le trépan en frappant ses points de pression. Le trépan comporte deux éléments, l'un intérieur et l'autre extérieur. Nous croyons qu'en taillant ses armatures l'ensemble s'écroulera.

Alors que nous nous dirigions vers le trépan, Toph nous a entourés d'un nuage de poussière pour que nous puissions passer inaperçus. Lorsque le trépan s'est trouvé directement au-dessus de nous, Sokka, Katara, Momo et moi avons sauté dessus. Toph est restée à l'extérieur afin de ralentir l'action du trépan à l'aide de ses pouvoirs.

⊕ ⊕ ⊕

Nous avançons à l'intérieur du trépan qui nous semble un vaste labyrinthe de canalisations et de valves. Il s'avère très difficile de les scier complètement; aussi, nous nous contenterons de les affaiblir, après quoi je me rendrai sur le dessus du trépan pour lui asséner un dernier coup de vent. L'ensemble de la structure devrait alors s'effondrer.

Le plan semble fort simple, mais tous les habitants de la ville espèrent sa réussite. Encore une fois, il revient à l'Avatar de sauver les autres. J'espère seulement ne pas les décevoir...

Un à un nous avons fait le tour des différentes armatures pour les taillader avec nos fouets d'eau jusqu'à les affaiblir. Alors que nous donnions le coup final à la dernière armature, les trois maîtres du feu (Azula, Mai et Ty Lee) lancèrent une attaque contre nous.

«Séparons-nous!» ai-je crié. Katara me lança sa sacoche d'eau avant d'emprunter un corridor en compagnie de Sokka. Ty Lee et Mai sont partis à leur poursuite. Azula est restée derrière moi.

«L'Avatar est à moi!» s'est-elle écriée.

Je n'ai pas le temps de l'affronter, je dois mener à terme notre plan. Momo et moi avançons précipitamment à l'intérieur du char d'assaut. Nous arrivons enfin à sa partie supérieure. Oh, non! Le trépan est déjà en train de forer la muraille, la dernière ligne de défense du Royaume de la Terre.

L'eau de Katara m'a servi à graver un X majuscule sur la partie supérieure du blindage du trépan en préparation de mon coup final. Azula m'a alors rejoint et a fait feu sans inter-ruption. J'ai fait dévier ses projectiles en manipulant l'air autour de moi, mais quand j'ai voulu l'arrêter en me servant d'un fouet d'eau elle a provoqué l'évaporation de ma provision. Peu importait ma stratégie, elle me faisait reculer.

Azula est—elle trop puissante pour que je puisse l'emporter sur elle? À présent, je suis navré pour Zuko qui doit affronter une ennemie aussi impitoyable qui, en outre, se trouve être sa propre sœur. Zuko est un être dangereux, mais à tout le moins a—t—il un bon motif de tenter de me capturer. Il veut rentrer dans les bonnes grâces de son père, le seigneur du Feu. Azula est simplement désaxée. Il semble qu'elle aime faire du mal et détruire, comme s'il s'agissait d'un plaisir intime et non pas d'un composant indissociable de la guerre. Sa nature impitoyable fait d'elle un adversaire beaucoup plus dangereux que Zuko. Je préfère de loin Zuko à sa sœur insensible.

Azula tire toujours dans ma direction. Je dois continuer le combat... Azula est peut—être plus puissante que je le suis, je dois me montrer plus rusé. Je dois l'arrêter pour pouvoir abattre le trépan.

Oui! Elle a trébuché. C'est l'occasion....

Pendant qu'Azula tente de retrouver son équilibre, je saisis une grosse pierre. Faisant appel à mes pouvoirs, je fends la pierre en deux et j'en affûte une extrémité jusqu'à façonner une pointe. Puis je dirige la pointe vers le X qui marque le blindage du trépan. Il me suffit d'attendre un peu pour que le plan fonctionne...

Au moment où Azula reprend pied, je frappe un coup sur la muraille, je bondis dans les airs et je reviens avec toute ma force. Fort d'un coup inspiré des techniques de maîtrise de la terre, je frappe des mains la cime du pic de pierres que j'avais édifié et laissé sur la taillade en forme de X du trépan.

BOUM!

Le pic de pierres fend la coque avec une force telle que les armatures affaiblies se fendent et que tout l'appareil s'écroule. Une rivière de boue fait éruption par l'orifice que je viens d'ouvrir qui fait perdre pied à Azula. Je saute sur la coulée de boue et je prends la vague à la manière d'un surfeur.

Hou hou! C'est super! Le trépan a été détruit, l'attaque de la Nation du Feu enrayée et la ville est sauve.

Je me sens presque libre à nouveau comme au temps où je faisais de la glisse avec les pingouins et que je montais des marsouins géants pour le plaisir de la chose. Avant le début de cette histoire, avant Azula. J'ai le sentiment d'être à nouveau Aang, non pas l'Avatar.

Chapitre 9

Afin de rejoindre le cœur de la ville, nous avons emprunté un monorail. Lorsque nous sommes descendus du train à la gare de Ba Sing Se, nous nous sommes retrouvés sur un quai bruyant. Mes réflexions se sont alors tournées vers Appa. Je m'étais tant préoccupé de parvenir à la capitale, de contrer l'attaque de la Nation du Feu et de détruire le trépan gigantesque que j'en avais presque oublié mon vieil ami. Nous voici enfin à Ba Sing Se et je promets de ne pas quitter cette ville sans lui.

À la gare, une femme s'est approchée de nous et s'est présentée sous le nom de Joo Dee. Elle savait qui nous étions. Elle nous a expliqué que son travail consistait à nous piloter dans la ville; c'est ainsi que nous sommes montés à bord d'une élégante calèche tirée par un quadrige de chevaux—autruches. Alors que nous roulions, Sokka tenta d'expliquer à Joo Dee que nous étions porteurs d'un important message pour le roi au sujet de la Nation du Feu. Chaque fois qu'il abordait le sujet, elle parlait d'autre chose ou elle l'ignorait.

« À présent, vous êtes à Ba Sing Se, dit—elle. Chacun est en sûreté ici. »

En fait, avant que j'arrive ici, la Nation du Feu et son gigantesque trépan s'apprêtaient à envahir Ba Sing Se, sauf qu'elle ne veut rien entendre. La capitale me semble une ville bien étrange. Elle est divisée en trois quartiers distincts : l'anneau inférieur, l'anneau médian et l'anneau supérieur. Ces anneaux sont réservés à trois classes sociales; les plus pauvres vivent à l'intérieur de l'anneau inférieur et les plus riches à l'intérieur de l'anneau supérieur. Je n'apprécie guère un tel cloisonnement entre les gens. C'est que j'ai grandi auprès de moines qui me parlaient des vertus de l'égalité et du partage.

Quoi qu'il en soit, Joo Dee nous conduisit à l'intérieur de l'anneau supérieur. Elle nous a montré le palais royal et les agents du Dai Li qui l'entourent. Apparemment, le Dai Li est l'autorité culturelle de la ville. Ensuite elle nous a indiqué notre nouvelle demeure. Je n'avais pas l'intention de m'éterniser ici, mais elle m'apprit que nous devions attendre un mois avant de pouvoir rencontrer le roi !

Nous avons décidé de consacrer ce temps à la recherche d'Appa. Nous avions espéré que Joo Dee nous laisserait seuls. Pourtant, elle insista pour nous accompagner partout où nous allions. La chose importait peu, puisque nous ne sommes pas allés très loin.

J'avais le pressentiment qu'Appa se trouvait là, par contre aucune des personnes interrogées n'a pu nous fournir la moindre indication qui nous aurait permis de le trouver.

Au bout d'une journée où se sont accumulées les frustrations, Joo Dee nous a enfin reconduits à notre demeure. Nous avons fait la connaissance de Pong, notre voisin, et nous espérions obtenir quelques réponses de lui. Il était du genre amical. Aussitôt que nous avons parlé de la guerre, il s'est mis à trembler et à regarder autour de lui pour voir si on l'observait.

« Écoutez, commença-t-il, visiblement effrayé. On ne peut parler de la guerre à Ba Sing Se. Et, quoi que vous fassiez, tenez-vous éloignés du Dai Li. » Il courut ensuite vers sa maison et claqua la porte derrière lui.

Aucun habitant de cette ville ne discutera d'un sujet d'importance. J'ai le sentiment qu'il existe une conspiration du silence ou quelque chose qui s'en approche.

« Nous devons rencontrer le roi de la Terre, insista Sokka. C'est le seul moyen de tirer les choses au clair. »

Sokka a raison. Le roi doit nous aider. J'en suis convaincu. Et je n'attendrai pas un mois dans cette étrange ville qu'il daigne bien nous accorder une audience !

Quelque temps plus tard, Katara lut dans le journal que le roi donnait une réception. Elle proposa de nous introduire parmi les invités et de nous présenter à lui. Toph et elle se sont donc vêtues comme des dames de la haute société, tandis que Sokka et moi devions prétendre que nous étions des aides-serveurs. À quoi faut-il se résoudre parfois !

Nous nous sommes introduits furtivement au palais et nous avons repéré le roi; toutefois, alors que nous nous dirigions vers lui, nous avons été interceptés par les agents du Dai Li et conduits à une bibliothèque à l'intérieur du palais. Puis ce type s'est approché de moi. Il s'appelait Long Feng et occupait diverses fonctions, dont celle de grand secrétaire de Ba Sing Se, de ministre de la Culture du roi et de dirigeant du Dai Li. Je lui ai demandé pourquoi il refusait de nous laisser rencontrer le roi; je lui ai parlé du trépan de la Nation du Feu et de l'éclipse solaire, mais il ne sembla guère s'en soucier. Il a répondu que le roi n'avait pas le temps de s'occuper de politique ou d'activités militaires, ce qui est insensé. À quoi pouvait-il bien s'occuper sinon ? La politique et l'armée sont deux de ses attributions, en particulier en temps de guerre. Il prétendit que le fait de passer le conflit sous silence faisait de Ba Sing Se une utopie paisible et ordonnée. Quelles sottises ! Ce type est assurément plus dingue que le général Fong !

Hélas! hausser le ton en présence de Long Feng l'a fâché contre moi. Il m'a dit savoir que j'étais à la recherche d'Appa et a laissé sous-entendre qu'il avait le pouvoir de m'aider... ou pas. Sait-il vraiment où il se trouve? Je crois que Long Feng en sait beaucoup plus qu'il ne veut l'avouer. Je dois découvrir ce que dissimule ce type, mais il me faudra planifier mon coup. Pour l'instant, je dois conserver mon calme.

Et voilà cette femme bizarre qui veut nous escorter jusqu'à notre demeure.

« Qu'est-il advenu de Joo Dee? » demanda Katara.

« Je suis Joo Dee, répondit la femme en souriant. Je serai votre hôtesse tout au long de votre séjour dans notre merveilleuse cité. »

Cela, au moment même où je ne croyais pas que les choses puissent devenir plus étranges. Que se passe-t-il dans cette ville de dingues?

Chapitre 10

Mon esprit s'agite et je ne parviens pas à l'apaiser. Je m'ingénie à déterminer un plan d'action en vue de trouver Appa. J'essaie de comprendre pourquoi personne dans cette ville ne veut parler d'une guerre qui va bientôt détruire sa propriété et le reste du monde. Quelle mouche les a tous piqués?

Katara, Sokka, Toph et moi avons décidé de punaiser des affiches annonçant BISON DISPARU par toute la ville dans l'espoir que quelqu'un l'ait peut-être aperçu. Lorsque nous sommes revenus chez nous, on a frappé à la porte. J'étais convaincu qu'il s'agissait de quelqu'un qui serait porteur de bonnes nouvelles à propos d'Appa. À ma déception, ce n'était que Joo Dee — la première Joo Dee — qui tenait l'une de nos affiches. Nous lui avons demandé où elle était passée; elle a répondu qu'elle était allée en vacances à un endroit appelé lac Laogai. Bizarre! Elle nous a ensuite annoncé qu'il était interdit de placarder des affiches en ville.

Qu'avons-nous le droit de faire dans cette ville? Quoi qu'il en soit, j'en ai assez d'agir à leur guise. Il est évident qu'ils ne souhaitent pas nous aider; alors nous nous débrouillerons seuls.

« Nous nous moquons du règlement et nous ne demandons pas la permission. Nous sommes à la recherche d'Appa et vous feriez mieux de vous écarter de notre route! » Je lui ai claqué la porte au visage. « À compter de maintenant, nous ferons tout ce qu'il faut pour retrouver Appa. »

Nous sommes sortis de la maison, plus déterminés que jamais. Puis, Katara est tombée sur Jet, ce rebelle que nous avions rencontré lors de précédentes aventures. Qu'est-ce qu'il fabriquait à Ba Sing Se? À présent que j'y songe, Katara avait eu le béguin pour Jet jusqu'à ce qu'il mette un village innocent en péril en tentant de combattre la Nation du Feu. C'est alors que Katara a décidé de s'éloigner de lui. Ce qui a bien fait mon affaire.

« Je suis là pour vous aider à trouver Appa », dit Jet.

Il expliqua à Katara avoir changé, qu'il avait renoncé à sa bande. Je sais qu'elle n'a pas confiance en lui, mais en ce moment j'ai besoin de tout le secours possible.

Jet nous a conduits à un entrepôt où l'on disait qu'Appa s'y trouvait. L'endroit était désert. En premier lieu, Katara crut qu'il s'agissait d'un guet-apens mais nous avons trouvé quelques poils de bison sur le sol.

«On est venu chercher ce gros animal hier», fit une voix depuis un coin sombre. Un concierge traînant un balai a marché dans la lumière. «Un richard de l'île Queue-de-baleine l'a acheté, peut-être pour un jardin zoologique, peut-être pour faire boucherie.»

POUR FAIRE BOUCHERIE! Il faut que je m'assoie. Ce nœud à l'estomac ne présage rien de bon... La seule idée que quelqu'un puisse acheter Appa pour en faire de la viande hachée me donne la nausée et me rend furieux à la fois. Il est le dernier représentant d'une race noble et fière, pas un futur hambourgeois. Il fallait que je le tire de là. «Nous partons de ce pas pour l'île Queue-de-baleine!»

Sokka a trouvé l'emplacement sur sa carte pour se rendre compte que cette île était très éloignée, à proximité du pôle Sud. Mais je me moque bien de la durée du trajet. Si nous voulons retrouver Appa, nous devons nous rendre là-bas.

Alors que nous sortions de l'entrepôt, nous avons rencontré les membres de la bande de Jet qui nous apprirent que, quelques semaines plus tôt, ce dernier avait été arrêté et emmené par le Dai Li. Jet nia l'affaire et les traita de cinglés. Il nia en outre appartenir à la bande. Toph pourrait passer pour un détecteur de mensonges humain. Elle étudia leur rythme cardiaque et leur mode de respiration, et nous dit que Jet et ses copains disaient la vérité.

« Ils croient tous dire la vérité, dit soudain Sokka. Le Dai Li a fait subir un lavage de cerveau à Jet ! »

Nous avons ramené Jet à son appartement où nous avons tenté de raviver sa mémoire.

« Le Dai Li nous a envoyé Jet et ce concierge pour nous induire en erreur », soutint Katara.

Cela tombait sous le sens. On voulait nous éloigner de Ba Sing Se parce que nous remuions de la poussière avec nos propos sur la guerre. On a donc vidé le crâne de Jet pour qu'il nous entraîne au loin.

« Je parie qu'Appa se trouve toujours ici ! dis-je en retrouvant espoir. Il est peut-être à l'endroit même où l'on a conduit Jet.» Je me suis rapproché de ce dernier. « Où t'ont-ils conduit ? »

« Nulle part ! cria-t-il en se contorsionnant sur sa chaise. J'ignore de quoi vous parlez ! »

Katara se servit de l'eau de sa sacoche pour former une bande d'énergie magnétique autour de la tête de Jet afin de ranimer sa mémoire. Peu à peu, il commença à se détendre.

«On m'a conduit au siège du Dai Li, dit—il enfin. C'était sous l'eau, sous un lac.»

«Joo Dee a raconté être allée en vacances au lac Laogai», se rappela Sokka.

«C'est juste! lança Jet. Le lac Laogai!»

Je suis désormais convaincu que nous trou—verons Appa à cet endroit. J'espère seulement que nous n'arriverons pas trop tard. J'ignore ce que je ferais si… Non! Aang, chasse cette pensée! Nous allons trouver Appa et tout se passera bien.

Sokka, Katara, Toph, Momo et moi sommes partis vers le lac Laogai en compagnie de Jet et de deux membres de sa bande, Longshot et Smellerbee. Il s'agissait d'un lac beau et grand, entouré d'une forêt dense. On n'y apercevait aucun siège ni aucune sorte de passage sus—ceptible de conduire sous l'eau.

Puis Toph a trouvé une trappe en pierre dissimulée sous l'eau en bordure de la plage. Elle se servit de ses pouvoirs pour faire jouer cette trappe qui s'ouvrit sur un escalier con—duisant sous le lac. Nous l'avons descendu à toute vitesse avant d'emprunter un tunnel.

«Les choses me reviennent en mémoire, à présent, dit Jet. Je crois qu'il se trouve une cellule assez grande pour accueillir Appa quelque part devant nous.»

Nous approchons du but. Il peut même se trouver au-delà du prochain coude !

Nous avons avancé à l'intérieur du tunnel qui comportait de part et d'autre des pièces et des cellules de détention. Dans l'une des pièces, j'ai aperçu un groupe de femmes que l'on endoctrinait pour qu'elles deviennent des Joo Dee. Leur vue donnait la chair de poule. On aurait dit des robots programmés. Beurk !

Au bout de quelques minutes de marche lente, nous sommes arrivés devant une porte où Jet s'arrêta. « Je crois que c'est ici » fit-il en ouvrant la porte.

Mince ! Ce n'est pas la cellule d'Appa ; c'est une pièce où se trouvent de nombreux agents du Dai Li. Je vois Long Feng. Jet nous a-t-il conduits à un piège ou s'est-il simplement trompé ?

« En pénétrant dans notre siège, vous êtes devenus des ennemis de l'État, décréta Long Feng avant de se tourner vers ses agents. Emmenez-les en détention ! »

Les agents du Dai Li sont passés à l'attaque, mais nous avons riposté. Puis Long Feng s'est mis à courir et Jet et moi l'avons poursuivi. Nous l'avons suivi à l'intérieur du tunnel et dans une autre pièce dont il ferma la porte avant de se tourner vers nous. Jet est sans nul doute de notre côté.

« D'accord l'Avatar, annonça Long Feng avec hargne. C'est ta dernière chance, si tu veux ravoir ton bison. »

Il détient Appa! J'en étais sûr. Je pourrais le frapper là même où il se trouve, mais pas avant de connaître l'endroit où se trouve mon ami.

«Dis—moi où se trouve Appa!»

«Accepte de quitter la ville dès à présent et je renoncerai à toutes les accusations qui pèsent contre vous, et je vous laisserai sortir d'ici avec votre animal de compagnie», proposa Long Feng.

«Vous n'êtes pas en position de marchander!» s'écria Jet en dégainant ses deux épées à croc.

«Assurément pas» ai—je ajouté en adoptant une position de combat à côté de Jet. Si Long Feng souhaite que les choses se fassent à la dure, je vais me rendre à sa demande.

Il regarda Jet dans les yeux et lui dit : «Jet, le roi de la Terre t'a invité au lac Laogai.»

L'expression sur le visage de Jet a com—plètement changé; ses yeux sont plus petits et il regarde devant lui d'un air absent. Que lui arrive—t—il?

«Je suis honoré de son invitation», répondit Jet d'une voix monocorde dénuée d'émotion.

Long Feng a prononcé la phrase qui vide le crâne de Jet. Je suis dans de beaux draps!

Une seconde plus tard, Jet m'attaquait et Long Feng accourait à la porte. J'ai tenté d'arrêter Jet sans lui faire de mal, tout en cherchant à esquiver les pointes crochues de ses épées.

«Jet, c'est moi, Aang. Je suis ton ami! Tu n'as pas à faire cela.»

Oh ho! Mes paroles ne l'atteignent pas. Il continue de me darder avec ses épées et je ne pourrai pas esquiver les coups pendant très longtemps...

«Jet, regarde à l'intérieur de ton cœur. Il ne peut te contraindre à faire cela. Tu es un combattant de la liberté.»

Chouette! Je pense que j'ai ravivé un souvenir.

Il a cessé de m'attaquer et il reste là à me dévisager... et voilà qu'il attaque Long Feng! Enfin, nous faisons du progrès!

Je m'apprêtais à prêter main-forte à Jet, mais tout s'est passé si rapidement que, avant que je puisse m'en rendre compte, Long Feng avait assené un coup à Jet qui le projeta à terre. Par la suite, usant de ses pouvoirs de maître de la terre, Long Feng s'extirpa de la caverne à l'intérieur de laquelle toute la bande accourut pour trouver Jet blessé qui gisait au sol. Katara essaya de le guérir, mais Smellerbee et Longshot nous conseillèrent de partir à la recherche d'Appa. Ils le soigneraient. Katara semblait si triste et, bien que Jet lui promit qu'il serait vite sur pied, je m'interroge encore sur l'à-propos de cette promesse. Nous devions trouver Appa avant Long Feng. Nous sommes donc partis précipitamment dans le tunnel que nous avons parcouru jusqu'à ce que nous trouvions une grande cellule de détention. Nous arrivions trop tard. Elle était vide. Des chaînes rompues pendaient au mur. Le sol était couvert de poils de bison.

«Il n'est plus ici! Long Feng est passé avant nous. » De nouveau, j'arrivais trop tard. Il s'était trouvé là et je l'avais manqué de peu.

«Nous pouvons peut-être les rattraper», dit Sokka en nous pressant.

Nous avons dévalé l'escalier et sommes sortis du siège du Dai Li. Aussitôt que nous nous sommes trouvés sur la plage, les troupes du Dai Li nous ont entourés.

Tout est terminé. Nous avons échoué. Je suis navré, mon vieux. Je t'ai laissé tomber.

70

C'est à ce moment que Momo a poussé des cris stridents et qu'il s'est envolé. Lorsque j'ai levé les yeux au ciel, j'ai vu la plus belle chose de ma vie. Là-haut, effectuant une majestueuse descente en piqué, j'aperçus Appa.

Il est vivant! Il est sain et sauf! Il est libre! Il n'est pas devenu l'animal ou l'esclave ou le hambourgeois de quelqu'un. Il est mon ami enfin de retour. Je suis si heureux, je pourrais en pleurer!

« Appa! » ai-je crié.

Sa réponse nous est parvenue sous la forme d'un énorme coup de vent qui aplatit les troupes du Dai Li. Il appert qu'au moment où Long Feng essaya de s'emparer d'Appa, ce dernier lui a mordu la jambe et l'a jeté dans le lac.

J'ai retrouvé mon vieil ami !

J'ai sauté au ciel et je me suis posé sur le cou d'Appa pour lui faire plein de câlins. Après que mes amis eurent tous pris place sur son dos, j'ai lancé : « Yip, yip ! » pour la première fois depuis plusieurs semaines et nous nous sommes envolés dans le ciel bleu.

« Tu m'as manqué, mon ami. Plus que tu ne pourrais le croire. »

Chapitre 11

72 Nous sommes parvenus à pénétrer dans l'enceinte du palais et dans la salle du trône du roi de la Terre.

«Nous devons nous entretenir avec Votre Majesté!» ai-je lancé au roi. Ensuite, j'ai aperçu Long Feng qui se tenait aux côtés de ce dernier.

Génial. Je croyais que nous en avions terminé avec ce type. «Ils sont ici pour vous renverser!»

Long Feng avait convaincu le roi que nous étions ses ennemis. Mais je lui ai annoncé que j'étais l'Avatar et il a accepté d'écouter ce que j'avais à dire. Je lui ai raconté ce que je savais de la guerre, que le Dai Li lui avait caché la chose afin de mieux contrôler la ville et de le maîtriser lui.

« Long Feng ne souhaitait pas que je vous raconte cela; aussi, a-t-il kidnappé notre bison volant afin d'exercer un chantage contre nous » ai-je expliqué. À présent que je me trouvais enfin en présence du roi, rien n'allait m'empêcher de lui avouer toute la vérité.

Long Feng nia avoir jamais vu un bison volant; aussi, ai-je fait voler sa tunique pour découvrir l'empreinte des dents d'Appa sur sa jambe. Il fit valoir qu'il s'agissait d'une marque de naissance, mais Sokka fit entrer Appa dans la salle du trône et découvrit ses dents.

« Voilà qui apporte une preuve convaincante, dit le roi. Pourtant, cela ne prouve aucunement votre absurde théorie de la conspiration », ajouta-t-il.

Que faudra-t-il pour le convaincre que son royaume encourt un grave danger?

« J'imagine qu'il y a lieu de se pencher sur cette affaire » proposa alors le roi.

Il a consenti à nous accompagner pour nous donner la possibilité de prouver que nous disions la vérité. Nous l'avons conduit au lac Laogai afin de lui montrer le siège du Dai Li mais, lorsque nous sommes arrivés sur les lieux, toute preuve avait disparu. Le Dai Li avait déjà détruit la preuve de son existence. Le roi s'apprêtait à rentrer dans la capitale lorsque Katara eut une idée brillante.

« La muraille! cria-t-elle. Et le trépan géant. Ils ne pourront pas le dissimuler en si peu de temps! »

Nous sommes retournés à la ville par la voie des airs où Appa atterrit sur la face supérieure du rempart. Le vilebrequin du trépan perçait le mur là où nous avions fait cesser l'entreprise de destruction.

« Qu'est-ce que cela ? » demanda le roi d'un ton angoissé.

« Il s'agit d'un trépan géant fabriqué par la Nation du Feu afin de forer la muraille », expliqua Sokka.

Cela prouvait que nous disions la vérité. À présent, le roi savait que la guerre avait bel et bien lieu.

« Je comprends mal qu'on ne m'en ait rien dit », avoua le roi.

« Je puis expliquer pourquoi à Votre Majesté », fit une voix qui s'approchait de nous. Il s'agissait de Long Feng.

Il valait mieux pour lui que son explication soit convaincante.

« Ce n'est rien de plus qu'un projet de construction » dit-il d'un ton qui semblait indiquer que lui-même ne croyait pas ses paroles.

« Vraiment ? demanda Katara. Dans ce cas, vous pouvez probablement expliquer pourquoi l'emblème de la Nation du Feu orne votre matériel de construction ? »

J'adore Katara ! Ouf ! J'ai peine à croire que je viens de l'admettre, même si c'était en silence. Mais c'est la vérité. Elle est si intelligente ! Elle a acculé Long Feng au pied du mur et il se trouve désormais là où nous voulions qu'il soit.

Le général Sung est venu nous retrouver sur le rempart pour dire au roi que nous étions des héros.

« Sans eux, dit le général, notre ville aurait été envahie par l'armée de la Nation du Feu. »

Le roi ordonna au Dai Li de procéder à l'arrestation de Long Feng. « Il subira un procès pour crimes contre le Royaume de la Terre » annonça le roi. Long Feng fut emmené par les agents du Dai Li.

⊕ ⊕ ⊕

De retour dans la salle du trône, nous avons parlé au roi de la comète qui venait vers nous, susceptible de rendre invincible la Nation du Feu, et de l'éclipse solaire au cours de laquelle l'armée du Royaume de la Terre devait attaquer la Nation du Feu alors qu'elle serait privée de sa force. Il consentit à passer à l'attaque le jour de l'éclipse, le jour du Soleil noir.

Nous avons réussi ! Je contiens à peine ma joie ! Nous avons trouvé Appa, nous avons sauvé le Royaume de la Terre du trépan de la Nation du Feu et nous avons transmis au roi des renseignements qui peuvent sauver le monde entier. Je suis parfois très fier d'être l'Avatar.

Au même moment, la porte s'ouvrit et le général How, chef du conseil des généraux, entra dans la salle du trône. Il nous apprit qu'on avait trouvé dans le bureau de Long Feng des choses qui nous revenaient. Il remit à Toph une lettre de sa mère. Katara la lut et nous apprit que la mère de Toph se trouvait à Ba Sing Se et qu'elle voulait voir sa fille.

Après quoi il me remit un parchemin.

« Ce parchemin était fixé à la corne de votre bison au moment où le Dai Li l'a capturé » dit le général.

« Je suis surpris, ai-je dit après avoir lu le billet. Il y a un homme qui habite le Temple oriental de l'Air. Un gourou. Une manière d'expert en spiritualité qui affirme pouvoir m'aider à progresser dans mon parcours d'Avatar ! »

Puis il remit à Katara un compte rendu de renseignements qui lui apprit que son père se trouvait parmi une petite flotte de vaisseaux de la Tribu de l'Eau qui mouillait dans la baie du Caméléon.

« Désolée, affirma Katara, mais nous devons nous séparer. »

Nous venons de retrouver Appa et voilà que Katara désire que nous nous séparions ? Je ne veux plus qu'aucun d'entre eux s'éloigne de moi, plus jamais !

« Tu dois faire la connaissance de ce gourou, Aang, dit-elle. Tu dois te préparer en vue de l'invasion du territoire de la Nation du Feu. »

En de pareils moments, je souhaite n'être qu'Aang, de sorte que le sort du monde ne repose pas sur l'accomplissement de ma destinée. Je n'ai pas le choix. Elle a raison. Je dois y aller.

Sokka fit valoir que l'un d'entre nous devait rester auprès du roi pour l'aider à planifier l'invasion. Il se porta volontaire, mais la gentille Katara proposa de rester afin que Sokka puisse se rendre auprès de leur père.

Elle a vraiment un cœur d'or! Les besoins d'autrui lui importent toujours davantage que les siens. Je suis complètement fou de celle fille. Il ne me reste plus qu'à lui faire part de mes sentiments.

Chacun a fait ses préparatifs en vue de prendre la route et nous nous sommes revus pour nous faire nos adieux. Il me fallait un moment seul à seul avec Katara. Je l'ai donc entraînée à l'écart du groupe.

« Katara, je dois t'avouer une chose. Une chose que je souhaite te dire depuis longtemps. » Sapristi! Je suis si nerveux que j'ai peine à respirer. Allons-y...

« De quoi s'agit-il Aang? » demanda-t-elle.

J'ai répété mon boniment des milliers de fois dans ma tête; à présent que le moment est venu de le dire à haute voix, je ne sais plus par où commencer. J'ai regardé Katara dans les yeux et j'ai lâché à l'étourdie...

« Katara, je... »

« C'est bon! » cria Sokka en me lançant un semblant de coup de poing à l'estomac. « Qui est prêt à s'embarquer pour une petite expédition entre hommes seulement? »

Ah non! Ne voit-il pas que nous sommes en pleine conversation intime? Le charme est rompu à présent. Le moment est perdu à tout jamais. Merci beaucoup Sokka. Je suis passé si près de lui dire...

C'est alors qu'un coursier arriva pour avertir le roi que trois guerrières de l'île de Kyoshi sollicitaient une audience.

«C'est Suki! lança gaiement Sokka. Elle sera ici à notre retour.» Ai—je précisé que Sokka a le béguin pour Suki?

Katara, Sokka, Toph et moi avons formé un cercle en nous serrant les uns contre les autres. Puis Katara m'a donné un câlin et a posé un baiser sur ma tête. La tête, et non pas les lèvres, mais c'est un début, non?

Enfin, Sokka et moi sommes montés sur Appa et nous nous sommes envolés. Je ne songe qu'à Katara. Elle me manque déjà et il me tarde de revoir son visage. Et, à en juger par l'expression sur celui de Sokka, il n'a de pensées que pour Suki.

«J'ai peine à croire ce que je dis, commença Sokka, mais il semble que la chance vient de tourner en notre faveur.»

78

Chapitre 12

J'ai déposé Sokka et Appa et moi avons poursuivi notre route jusqu'à ce que nous trouvions le Temple oriental de l'Air. Alors que nous descendions dans la brume de l'aurore, j'ai aperçu un petit homme assis qui méditait parmi les jardins abandonnés et les constructions en ruine.

Il se dit le gourou Pathik et il peut m'enseigner à maîtriser l'élul de l'Avatar. Il m'a en outre expliqué avoir connu mon ancien maître, le moine Gyatso. Voilà tout ce qu'il me fallait entendre! J'étais prêt à écouter les enseignements de cet homme.

Le gourou Pathik m'a conduit dans une grotte au creux de la montagne où les leçons ont commencé. Il m'a appris que la maîtrise de l'état de l'Avatar repose sur l'équilibre entre l'esprit, le moral et le corps. Puis que l'énergie circule à l'intérieur du corps comme l'eau d'un ruisseau et que le corps compte sept chakras. Il s'agit de bassins dont sort l'énergie comme un flux en hélice. Lorsque les chakras sont obstrués, l'énergie ne peut circuler et mon pouvoir d'Avatar s'en trouve affaibli.

Je dois donc veiller à dégager mes sept chakras. Cela ne semble pas trop ardu!

«En premier lieu, nous allons ouvrir le chakra de la terre. Il a trait à la survie et la peur le congestionne», commença le gourou Pathik.

«Que crains-tu le plus? m'a-t-il demandé. Laisse tes peurs t'apparaître avec clarté.»

80

J'ai baissé les paupières et j'ai médité. Des visions et des souvenirs ont remué mon esprit — l'Esprit bleu qui m'attaquait avec des épées, Katara enterrée sous des pierres par le général Fong — et soudain le gourou Pathik avait disparu et le seigneur du Feu en personne se trouvait devant moi! Il emplit la grotte de flammes.

J'ai échoué à la première tentative. Et j'ai attiré ici le seigneur du Feu qui va détruire le temple sacré et tuer le gourou Pathik.

Puis une voix calme mit fin à l'état de panique et à la peur. «Aang, ta vision n'est pas réelle.»

J'ai ouvert les yeux et j'ai vu le gourou Pathik. Pas le seigneur du Feu. Pas de flammes. Tout cela n'avait été que le fruit de mon imagination.

Mes mains tremblaient et mon visage ruisselait de sueur.

« Tu crains pour ta survie, mais tu dois apaiser ces craintes. Ton esprit ne peut mourir. »

« Mais Roku m'a dit que, si je suis tué alors que je me trouve dans l'état de l'Avatar, tous mes prédécesseurs mourront et que le cycle s'arrêtera. »

« Lorsque les chakras seront dégagés, tu seras en mesure de contrôler l'état de l'Avatar et tu n'auras plus à te préoccuper de cela. »

Voilà qui me rassure ! Depuis que Roku m'a parlé de l'esprit d'Avatar, j'ai connu la crainte de cet état. Je ne veux pas être celui qui mettra fin au cycle. Mais, étant donné que je n'ai plus à me soucier de cela, refaisons l'exercice.

J'ai fermé les yeux et le seigneur du Feu se trouvait devant moi.

« Laisse tes peurs s'éloigner au gré du ruisseau » prononça le gourou Pathik d'une voix douce.

Je ne vous crains pas, seigneur du Feu. En fait, ce sera bientôt vous qui me craindrez. Éloignez-vous ! Sortez de mon esprit !

Sapristi ! Cela a fonctionné. Les flammes vacillent à l'intérieur de la grotte et le seigneur du Feu disparaît parmi les ombres de la paroi.

« Tu viens d'ouvrir ton chakra de la terre. »

Nous sommes ensuite passés au chakra de l'eau, qui touche le plaisir et qu'obstrue la culpabilité. J'ai de nouveau médité.

«Vois la culpabilité qui t'alourdit. De quoi te blâmes-tu donc?»

Des images de moi s'enfuyant de chez les Nomades de l'Air assaillirent mon esprit, alors que j'aurais mieux fait de rester auprès d'eux pour poursuivre mes études; de moi qui criais après Toph, qui la blâmais après l'enlèvement de Appa et, plus que tout, de tous ceux à qui j'avais fait du mal et causé de la peine alors que j'étais dans l'état de l'Avatar et que je ne le maîtrisais pas. J'ai fait du mal à tant de gens. Je ne mérite pas d'être l'Avatar.

«Accepte que ces choses soient survenues, mais ne les laisse pas empoisonner ton esprit. Tu dois te pardonner afin de devenir une influence positive sur le monde.»

Il a raison. Je ne peux modifier en rien les événements passés, mais je peux faire mieux à l'avenir. Du moins, je l'espère.

«Souviens-toi de la joie que tu as éprouvée dans les moments de plaisir intense.»

Sans plus tarder, le joli visage de Katara a fait surface dans mon esprit et je me suis retrouvé dans la caverne des deux amoureux...

«J'ai le sentiment que ce chakra vient de se dégager comme un barrage!» annonce le gourou Pathik.

Je l'ai senti aussi. Je me suis pardonné et je suis prêt à passer à autre chose. En outre, il me tarde de retrouver Katara!

Nous sommes passés au chakra du feu. Il concerne la volonté et la honte en obstrue le passage.

« De quoi es-tu honteux ? Quelles sont tes plus grandes déceptions à ton endroit ? » demanda le gourou.

Je me suis tout de suite vu aux prises avec des difficultés lorsque je tentais de maîtriser les forces de la terre. Par la suite, je me suis rappelé mes tentatives maladroites en vue d'apprendre à maîtriser les forces du feu et les brûlures que j'ai infligées à Katara. J'en ai conscience à présent ; jamais plus je ne manipulerai les forces du feu. Je ne peux encourir le risque de blesser Katara ou qui que ce soit.

Mais lorsque j'ai fait part de ma décision au gourou Pathik, il m'a déclaré que j'avais tort.

« Tu ne peux rejeter cet aspect de ta vie, Aang. Tu es l'Avatar et, par conséquent, tu es un maître du feu. »

Vrai. Je dois apprendre à manipuler les forces du feu. Je ne peux faire autrement.

J'ai pris une profonde inspiration et je me suis imaginé en train de maîtriser le feu, sans honte, sans déception, en misant sur ma seule volonté. C'est alors que j'ai laissé échapper un rot !

« Ce chakra vient de s'ouvrir avec la force d'un bison qui éructe ! » fit-il remarquer.

Le quatrième chakra est celui de l'air. Il touche l'amour et le chagrin l'obstrue.

Ce devrait être du gâteau pour un maître de l'air tel que moi!

«Dépose tous tes chagrins devant toi.»

Les souvenirs des jours heureux de mon enfance passée au temple ont resurgi: le jour où j'ai rencontré Appa, lorsque j'ai commencé mon apprentissage auprès de Gyatso. Puis, soudain, le visage rieur de Gyatso s'est transformé en un ramassis d'os. Le chagrin est monté du plus profond de moi et des larmes ont perlé sur mes joues.

Laisse passer le chagrin. Laisse-le s'écouler hors de toi.

Soudain, je me suis retrouvé à flotter sur un nuage entouré de tous les Nomades de l'Air que j'ai connus dans mon enfance. Ils étaient tous en train de méditer, mais ils ont disparu un à un alors que je passais devant eux. Disparus, comme dans la vraie vie! J'ai eu le sentiment de les perdre de nouveau…

«Certes, tu as alors éprouvé un grand chagrin. Mais l'affection que les Nomades de l'Air avaient pour toi n'a pas quitté ce monde. Elle est toujours dans ton cœur et elle revit sous la forme d'un nouvel amour.»

Voici Katara! La voilà qui me trouve alors que je suis gelé à l'intérieur d'un iceberg. Tout tombe sous le sens. L'amour ne meurt jamais; il vit à l'intérieur de moi et fait que je puis aimer à nouveau.

Le cinquième chakra est celui du son. Il concerne la vérité et les mensonges le congestionnent, surtout les mensonges que l'on se raconte à soi-même.

Voici Katara et Sokka qui me demandent pour quelle raison je ne leur ai pas avoué sur-le-champ que j'étais l'Avatar. Parce que je ne voulais pas de cette responsabilité.

« Alors pourquoi l'acceptes-tu ? »

Il est de mon devoir de restaurer l'équilibre en ce monde.

« Veux-tu de cette responsabilité ou tentes-tu de faire bonne impression sur quelqu'un qui croit que tu devrais t'y employer ? »

Pourquoi me pose-t-il cette question ? Il m'accuse pratiquement de ne pas souhaiter être l'Avatar. Mais je veux devenir l'Avatar, je crois.

Les images de Katara et de Sokka se sont estompées et je me suis soudain trouvé seul à la cime d'une montagne. J'embrassais du regard le monde autour de moi.

J'aime ma fonction d'Avatar. Je souhaite l'être. J'en suis convaincu à présent. Le monde compte sur moi et je l'accepte.

« Très bien, Aang. Tu as ouvert ton chakra du son à la vérité. »

Le sixième chakra est celui de la lumière. Il touche l'intuition et l'illusion lui fait rempart. Le gourou Pathik m'a expliqué que la grande illusion est celle de la séparation. Les êtres humains sont liés par un fil invisible. De même pour les quatre nations. Nous ne formons qu'un seul peuple. En fait, même la séparation des quatre éléments est une illusion.

J'ai ouvert mon esprit et j'ai vu en image les quatre éléments qui s'amalgamaient. Alors la vision est passée à Toph qui, usant de ses pouvoirs, manipulait le métal. J'ai compris! Les quatre éléments ne sont que quatre composants d'un grand tout. Même le métal n'est que de la terre sous une forme différente. C'est alors que le chakra de la lumière s'est dégagé. Il n'en restait plus qu'un!

« Lorsque tu ouvriras le dernier chakra, tu seras en mesure de passer à l'état de l'Avatar et d'en sortir à ton gré. Tu détiendras la pleine maîtrise de tes actions et tu en auras conscience alors que tu seras dans l'état de l'Avatar. »

Je suis gonflé à bloc! Voilà la raison pour laquelle je suis venu ici! J'ai trouvé ce qu'il me fallait pour vaincre le seigneur du Feu et unifier le monde. Allons-y! Je suis prêt.

Le gourou m'a confié que le chakra de la pensée touche l'énergie cosmique et que les liens terrestres obstruent sa circulation.

« Pour commencer Aang, tu dois méditer sur les choses qui te retiennent à ce monde. »

Du coup, mon esprit fut assailli par des pensées entourant Katara. Je me revoyais au fil de nos aventures et je me suis rendu compte que jamais je ne suis aussi heureux que lorsque je suis en sa compagnie.

« À présent, libère–toi de tous ces liens, continua–t–il. Laisse–les s'éloigner au gré du vent, vers l'oubli... Apprends à te défaire d'elle, à défaut de quoi l'énergie cosmique ne pourra pas circuler en toi. »

Quoi ? Mais de quoi parle–t–il ? Pourquoi voudrais–je me défaire de Katara ? Je l'aime. Il a dû faire erreur. En quoi le lien qui m'unit à Katara peut–il être une mauvaise chose ? Elle est tout pour moi. Je ne comprends pas... moi qui croyais que tout cela serait facile.

« Navré, mais je ne peux pas renoncer à Katara. »

« Aang, tu dois dégager tous tes chakras afin de maîtriser l'état de l'Avatar. Le chakra de la pensée est ta porte d'entrée sur l'énergie de l'univers. Tu dois lui faire confiance et t'abandonner à lui. »

J'ai de nouveau fermé les paupières et me suis efforcé de m'abandonner. Je me suis vu marchant sur un pont étroit au–dessus de l'univers. Katara se trouvait avec moi sur le pont mais, alors que je me détendais, elle s'est envolée dans le ciel et est devenue de plus en plus petite, jusqu'à être une étoile de plus dans le cosmos. Je me suis tourné et j'ai aperçu un géant à l'autre extrémité du pont.

Minute ! Ce géant, c'est moi, dans l'état de l'Avatar. Je comprends à présent ! Je dois entrer dans l'état de l'Avatar afin de dégager le chakra de la pensée.

J'ai avancé en direction du géant, mais soudain j'ai entendu crier Katara. Je me suis vite retourné et je l'ai vue des fers aux poings et aux pieds dans une lugubre prison.

Katara a des ennuis. J'en suis convaincu. Je dois aller à sa rescousse.

Mais l'Avatar géant m'a fait signe de le suivre.

Que suis-je censé faire? Dois-je continuer de dégager le dernier chakra et abandonner Katara à son sort? Suis-je capable de renoncer à celle que j'aime le plus en ce monde ou dois-je renoncer à maîtriser l'état de l'Avatar? Je ne peux pas ignorer mon amie. Qu'adviendrait-il si elle courait un grave danger?

88

J'ai tourné le dos à l'Avatar géant et j'ai accouru à l'extrémité du pont où Katara était prisonnière, mais le pont a croulé sous mes pas et je suis tombé dans le vide, perdu à jamais.

Puis j'ai ouvert les yeux. J'étais en compagnie du gourou Pathik. J'ai vite sauté sur mes pieds, cédant à la panique. «Katara est en danger! Je dois partir!»

Le gourou Pathik m'a déclaré qu'en choisissant Katara j'avais obstrué le dernier chakra.

«Aang, si tu pars maintenant, tu seras incapable d'entrer dans l'état de l'Avatar.»

Du fond de mon esprit surgit une voix qui me demande de rester et d'achever mon parcours initiatique. Désolé, mais Katara est en danger. Je ne pourrais plus vivre en sachant qu'un malheur lui est arrivé que j'aurais pu empêcher. Je ne veux pas perdre le pouvoir de l'Avatar mais, si je dois pour cela renoncer à tous ceux que j'aime, je n'ai peut-être pas envie d'être l'Avatar. D'ailleurs, l'Avatar n'est-il pas censé venir en aide à ceux qui courent un danger? Peut-être est-ce ce que je suis censé faire? Quoi qu'il en soit, je sais que je dois venir en aide à Katara parce que je suis Aang. Je n'ai pas le choix.

Je suis monté sur le dos d'Appa et nous sommes repartis vers Ba Sing Se le plus vite possible.

Chapitre 13

90 Sur le chemin du retour à la ville, nous sommes passés prendre Sokka. Puis nous avons aperçu Toph qui surfait sur une vague de terre. Appa a fait une halte et nous l'avons cueillie. Sokka nous a parlé du plaisir qu'il avait éprouvé en revoyant son père et Toph raconta qu'elle avait appris à maîtriser le métal. Je me suis d'abord fait le commentaire qu'elle était un maître de la terre fantastique, mais je me suis rappelé les visions que j'avais eues auprès du gourou, au cours desquelles j'avais vu Toph manipuler le métal par la force de sa volonté, alors que je décongestionnais mon chakra de la lumière. Ce dernier est obstrué par les illusions et, pareillement à ce que m'ont dit le maître de l'eau au marécage et le gourou, le temps doit n'être qu'une illusion, car l'image que j'ai vue au marécage de Toph qui riait et celle que je viens de voir qui manipulait le métal sont bel et bien réelles.

Dans ce cas, la vision que j'ai eue de Katara doit également être vraie; elle doit encourir un danger. En outre, cela veut probablement dire que le gourou a raison et que mon septième chakra est obstrué. Une chose à la fois! Toph et Sokka ont été secoués lorsque je leur ai parlé de ma vision à propos de Katara et nous avons accéléré pour rentrer à Ba Sing Se aussi vite qu'Appa pouvait nous y conduire.

Ils m'ont interrogé au sujet de mon expérience auprès du gourou. Je leur ai menti en disant que je maîtrisais désormais l'état de l'Avatar. Ils ont beau aimer Katara, je sais qu'ils ne comprendraient pas le choix que j'ai fait. Ils croiraient que j'ai renoncé à mes responsabilités. Et peut-être est-ce ce que j'ai fait. Je n'en sais rien. La seule chose dont je suis convaincu, c'est que je dois m'assurer que Katara est saine et sauve. Je sais de plus que j'ai dû mentir. Je n'en suis pas fier, mais je n'y peux rien pour l'instant. Avant tout, il me faut sauver Katara et, par la suite, j'apprendrai à maîtriser l'état de l'Avatar. Du moins, je l'espère.

Aussitôt que nous avons atterri à Ba Sing Se nous nous sommes précipités à la salle du trône pour voir le roi. À mon étonnement, il m'apprit que Katara était partie en compagnie des guerriers Kyoshi et qu'elle allait bien. Nous sommes rentrés à notre appartement, où m'attendait Momo sans Katara.

Elle était dans le pétrin. J'en étais convaincu. Ma vision ne m'avait pas trompé.

On frappa à la porte. Toph l'ouvrit sur Iroh, l'oncle de Zuko!

Voilà la dernière chose dont j'ai besoin à présent, me battre contre Iroh. Zuko l'accompagne-t-il? Ils détiennent peut-être Katara...

Il s'avère que Toph et Iroh se sont déjà rencontrés, dans la forêt alors qu'elle nous fuyait, et qu'ils se sont liés d'amitié.

«Toph, j'ai besoin de ton aide, dit Iroh. La princesse Azula se trouve à Ba Sing Se.»

Azula! Elle doit détenir Katara! Me voilà réellement inquiet. Azula a failli me tuer lors de notre dernier combat. Elle est désaxée et très dangereuse. Comment allons-nous pouvoir sauver Katara?

Iroh nous expliqua qu'Azula avait capturé Katara et Zuko.

«Nous unirons nos forces afin de combattre Azula et de sauver Katara et Zuko», dis-je.

Sokka s'est montré choqué lorsque j'ai proposé de sauver Zuko. J'en ai moi-même été quelque peu étonné. Mais je suis prêt à tout pour sauver Katara et, lorsqu'on connaît Azula, Zuko ne semble pas si vilain.

Iroh avait emmené avec lui un agent du Dai Li qu'il avait fait prisonnier. Ce dernier nous apprit qu'Azula et Long Feng complotaient en vue de renverser le roi de la Terre! Il a précisé que Katara était retenue captive dans les catacombes de cristal de la vieille cité de Ba Sing Se, dans les entrailles de la terre sous le palais royal.

Par la force de sa volonté, Toph a creusé un tunnel sous le palais, après quoi nous sommes partis en des directions différentes. Alors que Sokka et Toph sont allés prévenir le roi du coup d'État que préparait Azula, Iroh et moi nous sommes enfoncés dans le tunnel pour partir à la recherche de Katara et de Zuko.

D'abord, j'étais triste pour Zuko et voilà que je fais confiance à son oncle, un général de la Nation du Feu à la retraite. Étrange comme les choses peuvent changer de perspective! On croit avoir tout compris, savoir qui est le bon et qui est le vilain, et voilà que les gens vous étonnent encore!

Le tunnel aménagé par Toph nous a con-duits à une esplanade de cristal où coulait une cascade et serpentait un ruisseau dont l'eau écumait à la surface de gros cristaux. À l'aide de mes pouvoirs de maître de la terre, j'ai ouvert quelques sections du mur entourant l'esplanade jusqu'à ce que je trouve la prison de Katara et de Zuko.

« Aang! Je savais que tu viendrais! » Katara s'est précipitée vers moi pour m'étreindre.

Grâce au ciel elle n'a aucun mal! Je sais à présent que j'ai pris la bonne décision.

Au même moment, Zuko voulut se précipiter sur moi, mais Iroh l'en a empêché. Ils avaient beaucoup de choses à se dire; aussi, Katara et moi les avons laissés seuls et nous sommes partis rejoindre Sokka et Toph.

Mais avant même que nous soyons sortis de l'esplanade de cristal, Azula est passée à l'attaque! Elle a dirigé contre nous des éclairs bleus. Katara a contré son attaque en manipulant l'eau du ruisseau et j'ai fait appel aux forces de la terre pour parer les coups d'Azula et lui faire perdre pied.

Azula est une ennemie trop puissante pour moi seul, mais je crois pouvoir la vaincre en duo avec Katara. Oh là! Zuko est de retour! Son oncle l'a-t-il convaincu de nous venir en aide ou combattra-t-il aux cotés d'Azula? Je me demande quel côté il chois...

BAM!

Zuko vient de diriger une décharge de feu dans ma direction. Je ne devrais pas m'en étonner. Zuko reste égal à lui-même. Sauf qu'à présent, il fait équipe avec sa sœur impitoyable. J'espère que nous sommes assez forts pour venir à bout d'eux!

Oh non! Katara est blessée. Elle vient de tomber dans le ruisseau... Azula a dû lui envoyer une décharge électrique alors qu'elle se trouvait dans le ruisseau. Je n'ai pas pu la sauver! J'ai tourné le dos au gourou Pathik pour venir à sa rescousse et j'ai échoué.

À présent voilà qu'une troupe d'agents du Dai Li entrent dans le combat et qu'ils m'attaquent avec des mouvements en provenance de la terre. Ils sont trop nombreux. Je ne peux les arrêter tous et combattre Azula et Zuko.

Le gourou Pathik dit vrai. Je suis retenu par des liens terrestres et je gâte tout. Il n'existe qu'une façon de m'en sortir, et c'est de renoncer à Katara.

Désolé Katara!

Par la force de ma volonté, j'ai moulé une armure de cristal autour de ma personne et j'ai commencé à méditer.

Me voilà de retour sur ce pont qui avance vers une version géante de moi–même dans l'état de l'Avatar…

Cette fois, il n'y a aucune hésitation. Je me dirige vers cet Aang plus grand que nature. Accepte ta destinée…

Ça fonctionne! J'entre dans l'état de l'Avatar! Je me sens plus puissant que jamais! BOUM!

Que se passe–t–il? Oh non! Voilà que le pont s'écroule sous mes pieds!… Je chute…

Je peux entendre la voix de Katara qui flotte avec douceur dans l'obscurité. Puis j'ai repris peu à peu connaissance. Je voyais en esprit un ruban d'eau dorée qui apaisait mes blessures, me redonnait vie.

Lorsque j'ai ouvert les yeux, j'étais allongé sur le dos d'Appa et nous volions loin de Ba Sing Se. Katara, agenouillée auprès de moi, s'employait à me soigner à l'aide de ses pouvoirs. Je lui ai fait un câlin et nous avons fondu en larmes. Elle m'a raconté qu'Iroh avait favorisé notre fuite. Celui–là m'étonnera encore.

En m'asseyant, j'ai vu que Sokka, Toph et le roi de la Terre nous accompagnaient. Le roi regarda sa capitale et laissa échapper un soupir.

« Le Royaume de la Terre vient de tomber » dit-il d'un ton solennel.

Tout était ma faute, encore une fois ! Que serait-il advenu si j'avais pris une autre décision ? Que serait-il advenu si j'avais pu renoncer à Katara la première fois, si j'avais purifié mon chakra et si j'étais parvenu à maîtriser l'état de l'Avatar ? Peut-être qu'Azula et Zuko auraient mordu la poussière. Peut-être que la guerre serait terminée.

Mais il n'en est rien. Je dois trouver comment mener à bien cette aventure. Je souhaite seulement trouver la force d'y parvenir…